M000276015

标准教程
STANDARD COURSE
HSK

主编： 姜丽萍
LEAD AUTHOR: Jiang Liping

编者： 王芳、刘丽萍
AUTHORS: Wang Fang, Liu Liping

教师用书 Teacher's Book

北京语言大学出版社
BEIJING LANGUAGE AND CULTURE
UNIVERSITY PRESS

致教师

为了配合《HSK 标准教程 1》的出版和发行，也为了方便广大教师对该教程的教学目标、教学重点、教学步骤和方法等内容有更全面的了解，我们特别精心编制了《HSK 标准教程 1 教师用书》。希望能够减轻教师的工作压力，为课堂教学提供参考。

全书共 15 课，我们按照《HSK 标准教程 1》课本及练习册的内容来设计每课的教学环节及授课方法，突出重点和难点，提供丰富的教学例句和课堂活动，便于教师把握课堂。

一、教学内容和教学目标

从重点句型 / 词语、语言点、语音要求、汉字要求、功能项目几个方面，展示本课中词汇、语法、语音、汉字的重点内容，一目了然，使教师能够做到心中有数。

二、教学步骤

（一）复习旧课（5 分钟）

复习环节是对前一课教学内容和教学效果的检查，根据反馈的信息，教师可以了解学生对前一课教学内容的掌握情况。因此在上新课前，我们设计了多样的练习形式。如：

1. 快速认读生词

教师可以根据课堂时间和学生的掌握情况，选择前一课所学的重点生词进行认读练习。在熟练认读的基础上，可以把字扩展成词，把词扩展成短语。

2. 形近字辨析

很多汉字的字形只存在细微的差别，通过形近字的辨析练习，可以帮助学生更好地掌握和记忆汉字。教师可以根据学生的学习情况，设计更多的汉字练习形式。

3. 快速回答问题

通过这个练习，教师可以对学生前一课所学内容的掌握情况进行检查。问题的设计应该结合课文内容和语言点，既要有层次性，又要有趣味性，同时要注意结合学生的实际情况。

（二）学习新课

1. 热身（5 分钟）

热身环节主要是围绕课本中的热身部分设计的。不仅可以导入新课的生词，也可以导入新课的话题，活跃课堂气氛，增加学生学习的兴趣。教师也可以根据实际情况，补充其他形式的热身练习。

2. 生词（15 分钟）

此环节包括"生词快速认读及正音"和"重点生词扩展及常用搭配"两部分。其中快速认读部分可以采用教师领读、学生跟读、学生齐读、学生个别读等不同方式，目的是加深学生对生词的印象。

重点生词的扩展要尽量使用丰富的词汇，但要注意避免出现学生不认识的词汇，同时要围绕课文内容并尽量充分地体现语言点。

3. 语言点（15分钟）

语言点环节包括解析、导入、操练、扩展练习几个部分。其中大部分的语言点都使用了构架形式，简洁明了。同时对一些需要提醒学生的要点还进行了归纳，以"注意"的形式呈现，突出了提示的作用。

4. 课文（25分钟）

课文的学习和操练是课堂教学环节中非常重要的部分。多种多样的学习和练习方式不仅可以提高学生的学习效率，还可以增强趣味性。本书提供了多种课文练习形式，供教师参考。

5. 语音（10分钟）

这一部分既有说明又有练习提示。每课中的讲解都力求清楚和准确，并给出更多的例词帮助学生多加练习。练习提示则提供了多种方法上的指导。

6. 汉字（10分钟）

这一部分包括知识点解析和汉字练习。针对每课中出现的汉字知识，比如笔画、独体字、偏旁等，我们都给出了详细的说明和解释，并设计了各种汉字练习形式。

7. 课堂活动（10分钟）

汉语教学的重要目的是培养学生运用汉语进行交际的能力。让学生积极参与课堂活动，可以使学生体验到真实的交际情景，为课下进行真实的交际提供可能。教师用书中，我们为每课另增设了一个补充活动，将本课的生词、语言点、课文内容融入到活动中，让学生在参与、合作、交际中巩固所学知识，提高自己的交际能力。

8. 本课小结（5分钟）

总结每课中出现的主要语言点、语音知识和汉字知识。

另外，在每课最后的"附注"中我们提示了该课的建议教学用具，教师可以根据教学需要使用合适的教学用具，如词卡、字卡、图片、视频短片等。

每五课还对课本中提供的文化知识进行了解析，为的是加强学生对中国文化的了解，引起学生的学习兴趣，促进语言学习。建议教师结合文化知识的内容，通过大量的图片和影视作品，引入一些对中国文化的探讨和交流活动。

以上是对《HSK标准教程1 教师用书》使用方法的一些说明和建议，仅供参考。大体上每课的教学时间以2–3学时（即100–150分钟）为宜，在实际教学活动中教师可以随时调整、灵活使用，如果需要在课堂上处理练习，教学时间可相应延长。

编 者

目 录

1 你好

一、教学内容和教学目标

重点句型	学生能够了解并掌握： （1）你好！您好！你们好！ （2）对不起！没关系！
语音	学生能够： （1）熟练朗读本课的 14 个声母、18 个韵母 （2）熟悉并正确朗读汉语的四个声调 （3）了解汉语音节的声韵调拼合关系 （4）熟悉并正确朗读两个三声音节的连续变调
汉字	学生能够： （1）熟练认读本课生词 （2）掌握"一、丨、丿、丶、乀"五种笔画的正确写法 （3）独立书写独体字"一、二、三、十、八、六"
功能	学生能够： （1）打招呼、问候 （2）致歉 （3）表达原谅

二、教学步骤

1 语音

（1）声母

　　一个汉语音节通常由声母、韵母、声调三个部分组成。我们把一个音节开头的辅音叫作"声母"。例如：hàn 这个音节，声母是音节开头部分的"h"。汉语中一共有 21 个声母。本课声母：

b	p	m	f
d	t	n	l
g	k	h	
j	q	x	

注意：

- 教师要提醒学生注意 b-p，d-t，g-k，j-q 这几组声母送气、不送气的区别。关于送气音，在教学上可以采取吹纸条或吹蜡烛的方法。（送气音和不送气音的具体区别将在第 5 课出现，本课学生第一次接触，简单提示发音要点即可。）
- j、q、x 是一组舌面音，舌面与硬腭配合而发音。j、q 发音时舌面要与硬腭接触，j 没有强烈的气流，而 q 有强烈的气流呼出。发 x 时，舌面接近硬腭，但不要接触，始终保持一条缝隙。（具体的发音辨析将在第 3 课出现，本课学生第一次接触，简单提示发音要点即可。）

练习册相关练习：第 1 页 / 四

（2）韵母

　　一个汉语音节声母后面的部分叫作"韵母"。例如：hàn 这个音节，声母是音节开头部分的"h"，而韵母是后面的部分"an"。汉语中一共有 36 个韵母。本课韵母：

	i	u	ü	er
a	ia	ua		
o		uo		
e	ie		üe	
ai		uai		
ei		uei（ui）		
ao	iao			

注意：

　　教师要提醒学生注意，在汉语拼音中的 a、i、e，虽然在不同韵母中都用这三个字母表示，但是实际的发音是有区别的。

　　在汉语拼音中，a 表现为四种不同的读音：

[A]：a、ia、ua

[a]：ai、uai、an、uan

[ɛ]：ian、üan

[ɑ]：iao、ang、iang、uang

e 表现为四种不同的读音：

[ɤ]：e

[ə]：en、uen、eng、ueng、er

[e]：ei、uei

[ɛ]：ie、üe

i 表现为四种不同的读音：

[i]：i、ia、ie、iao、iou、in、ian、ing、iang、iong

[ɪ]：ai、ei、uai、uei

[ɿ]：zi、ci、si

[ʅ]：zhi、chi、shi

练习册相关练习：第 2 页 / 五

（3）汉语的声调

　　声调是汉语语音非常突出的特点，也是汉语音节必不可少的一个组成部分。汉语的基本声调有四个，分别是第一声（又叫阴平，用五度标音法表示，调值为 55）、第二声（又叫阳平，调值为 35）、第三声（又叫上声，调值为 214）和第四声（又叫去声，调值为 51）。汉语的声调有区别意义的作用。例如声母 m 和韵母 a 组成的音节 ma，由于声调的不同，各个音节的意义也不同，如"mā 妈、má 麻、mǎ 马、mà 骂"。

　　教师可利用课本第 3 页的声调练习，组织学生进行朗读。

> 注意：
>
> 　　教师组织学生进行四声练习时，建议顺序为第一声、第四声、第二声、第三声。第一声的声调特征为高、平，第四声的声调特征为降，第二声的声调特征为升，第三声的声调特征为先降后升（但在实际语流中的第三声常常读作半三声，最突出的声调特征为低调。）

练习册相关练习：第 2 页／六

（4）汉语的音节

　　汉语的音节是汉语语音的基本单位，一个音节一般由声母、韵母、声调三部分组成。一般来说，一个汉字表示一个音节。例如：mā 这个音节，声母是 m，韵母是 a，声调是第一声，对应的汉字可以是"妈"，它的意思是"妈妈、母亲"。汉语的一个音节可以没有声母，但是一定要有韵母和声调，例如：èr（二）。没有声母的音节叫作"零声母音节"。

　　教师可利用课本第 4、5 页的单音节词语和双音节词语进行练习，引导学生注意音节个数的不同。

练习册相关练习：第 1 页／一、二、三

（5）两个三声音节相连的连读变调

　　当两个第三声音节连读时，第一个音节近似读为第二声，即 3 + 3 变为 2 + 3。比如，"你好！nǐ + hǎo"读音变为"ní hǎo"。但是注音时，要标原调。

　　教师可利用课本第 5 页三声音节的连读练习，引导学生注意每个词语中两个三声音节实际发音的不同。

2 课文

- 教师领读三段课文，要求学生跟读模仿。注意语音语调自然流畅。
- 教师组织学生两人一组分角色读课文，然后请个别学生朗读，检查朗读情况。

> 注意：
>
> 　　教师可以根据图片提示，引导学生注意"你好"、"您好"使用时的不同情境。"你"是一个一般的第二人称代词，在交际中用于指称对方；当说话人要表达对对方（一般是长辈、老师、顾客、上司等）的敬意时则要使用"您"。

练习册相关练习：第 2 页／七

3 汉字

① 知识点解析

笔画

一（横）、丨（竖）、丿（撇）、丶（点）、乀（捺）

独体字

一：是汉字的基本笔画之一，也可单独成为汉字，表示数量"1"。

二：表示数量"2"。

三：表示数量"3"。

十：表示数量"10"。

八：表示数量"8"。

六：表示数量"6"。

② 汉字练习

- 教师板书本课笔画"一、丨、丿、丶、乀"，给学生展示各个笔画的运笔方向，并书写各自的代表汉字，帮助学生识记笔画。

- 教师板书或者用手指在空中书写本课独体字"一、二、三、十、八、六"，带领学生识记独体字的笔画笔顺。

- 补充练习

  给下列汉字注音并跟相应的阿拉伯数字连线

（　　）六		2
（　　）一		8
（　　）三		10
（　　）二		1
（　　）八		3
（　　）十		6

  练习册相关练习：第3页/八

4 课堂用语

教师带领学生朗读课堂用语，并使学生熟悉其含义，方便课堂教学。练习课堂用语时可以只标注拼音，不出现汉字。

（1）上课！

（2）下课！

（3）现在休息！

（4）看黑板！

（5）跟我读！

5 补充课堂活动——读一读，猜一猜

教师可以准备一些常用的、流行的汉语外来词，用汉语拼音的形式出示给学生，要求学生能够正确朗读，然后请他们猜猜词的意思，最后教师给出正确答案。

> 参考词语：
>
> Bèikèhànmǔ　Hālì　Bōtè　hànbǎobāo　Màidāngláo　Ādídásī　Nàikè
> 贝克汉姆、哈利·波特、汉堡包、麦当劳、阿迪达斯、耐克

6 本课小结

- 问候和致歉：你好！您好！你们好！对不起！没关系！
- 语音：声母 14 个、韵母 18 个
   汉语的四声
   汉语的音节
   两个三声的连读变调
- 汉字：独体字"一、二、三、十、八、六"

附注：建议教学用具

1. 拼音卡片：第 1 课拼音卡片（或挂图）

声母，如：

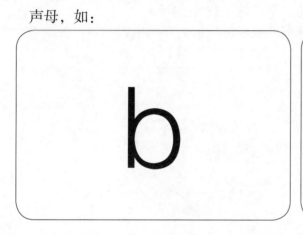

韵母，如：

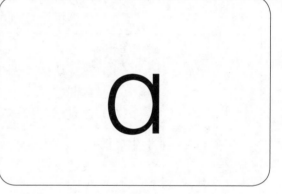

2. 独体字卡片：第 1 课独体字卡片

如：

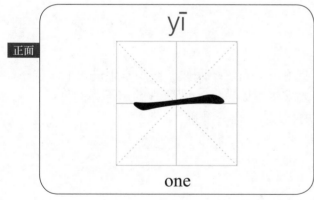

2 谢谢你

一、教学内容和教学目标

重点句型	学生能够了解并掌握： （1）谢谢！ （2）不谢！不客气！ （3）再见！
语音	学生能够： （1）熟练朗读本课的 7 个声母、18 个韵母 （2）熟悉含有轻声音节的双音节词语的声调模式 （3）熟悉拼音规则的标调法和省写规则
汉字	学生能够： （1）熟练认读本课生词 （2）掌握"乛、乚、亅"三种笔画的正确写法 （3）独立书写独体字"口、见、山、小、不"
功能	学生能够： （1）表达感谢 （2）告别

二、教学步骤

一 复习旧课

1. 教师和学生之间用"你好"、"你们好"、"您好"进行简单问候，组织学生进入上课状态。
2. 教师出示第 1 课的拼音卡片（或挂图），要求学生朗读第一课所学的声母和韵母。
3. 教师出示第 1 课独体字卡片，要求学生快速认读，语音准确。

二 学习新课

1 语音

（1）声母

本课声母：

zh	ch	sh	r
z	c	s	

6

注意：

- z、c、s 这组声母的发音部位是舌尖前。发 z、c 时，舌尖前部与上齿背接触，然后马上打开形成缝隙，z 没有强烈的气流通过，而 c 则有明显的气流通过。发 s 时，舌尖前与上齿背始终不接触，保留缝隙使气流流出。如果是欧美学生，建议可以先教 s，由 s 带出 z 和 c。（具体的发音辨析将在第 3 课出现，本课学生第一次接触，简单提示发音要点即可。）
- zh、ch、sh、r 是一组翘舌音，是由翘起的舌尖和硬腭前部配合而发的。发 zh、ch 时，舌尖要先和硬腭接触，然后打开一条缝隙让气流通过，发 zh 时没有强烈的气流呼出，而发 ch 时呼出的气流很强。发 sh 时，舌尖不要与硬腭接触，要始终保持一条缝隙。与 sh 不同，在发 r 时声带要振动。（具体的发音辨析将在第 4 课出现，本课学生第一次接触，简单提示发音要点即可。）

练习册相关练习：第 5 页 / 四

（2）韵母

本课韵母：

ou	iou（iu）		
an	ian	uan	üan
en	in	uen（un）	ün
ang	iang	uang	
eng	ing	ueng	
ong	iong		

注意：

- 前鼻音和后鼻音也是容易发生混淆的两组音。我们练习发音时应该从两方面来注意它们的区别：一是发音部位不同，发前鼻音 n[n] 时舌尖要抵住上齿龈，而发后鼻音 ng[ŋ] 时，舌头的后部要拱起，舌根向后收缩，抵住软腭；二是开口度不同，发 n[n] 时上下齿相对，开口较小，而发 ng[ŋ] 时开口度较大。（具体的发音辨析将在第 4 课出现，本课学生第一次接触，简单提示发音要点即可。）
- a、e、i 三个单韵母的开口度依次减小，相应的前鼻音韵母 an、en、in 以及后鼻音韵母 ang、eng、ing 的开口度也依次减小。开口度的大小是发好这两组音的关键。
- 汉语的复韵母由两个或者三个音素组成，根据主要元音在复韵母中的不同位置，复韵母可以分为前响二合元音韵母、后响二合元音韵母和中响三合元音韵母。

  前响二合元音韵发音时舌位从第一个音的位置滑到第二个音的位置，第一个音发音时间较长，较为响亮。如：

  ai ei ao ou

  后响二合元音韵母发音时舌位从第一个音的位置滑到第二个音的位置，第二个音发音时间较长，较为响亮。如：

  ia ua uo ie üe

  中响三合元音韵母由三个音素组成，发音时中间的一个音发音时间最长，最响亮。如：

  uai uei（ui） iao iou（iu）

练习册相关练习：第 6 页 / 五

（3）汉语的轻声

汉语中的声调除了基本的四声以外，还有一个读得又短又轻的声调，叫作"轻声"。在说话时，轻声音节的音高是由前一个音节的音高决定的。第一声后边的轻声是半低的轻声音节，第二声后边的轻声音高居中，第三声后边的轻声是半高的轻声音节，而第四声后边的轻声音节音高较低。轻声的读法，一般来说是在第一声、第二声、第四声后面读得比前一个音节要低，而第三声后面读得比前一个音节要高一些。

教师可利用课本第 10 页的轻声音节词语，组织学生进行朗读。

（4）拼音规则（1）：标调法和省写

① 标调法

第一声	第二声	第三声	第四声
－	´	ˇ	`

汉语拼音的声调必须标注在主要元音字母上。当一个韵母含有两个或者两个以上元音字母时，调号标注在开口度较大的那个元音字母上。调号标注的主要元音顺序为 a、o、e、i、u、ü，但 iu 是个例外，iu 是 iou 的省略形式，声调标注在 u 上。轻声音节不标声调。

补充材料

Biāo Diào Gē
《标 调 歌》

Kànjiàn a mǔ bié fàngguò,
看见 a 母 别 放过，

Méiyǒu a mǔ zhǎo o、e.
没有 a 母 找 o、e.

i、u bìngliè biāo zài hòu,
i、u 并列 标 在 后，

Dān gè yùnmǔ búyòng shuō.
单 个 韵母 不用 说。

i shàng biāo diào diǎn bù gē.
i 上 标调 点 不 搁。

练习册相关练习：第 6 页 / 六

② 省写

iou、uei、uen 前面加声母的时候，写成：iu、ui、un。例如：niú、guǐ、lùn。

教师可利用课本第 11 页的练习，引导学生注意这三个省写韵母在音节中出现的形式。

2 课文

• 教师领读三段课文，要求学生跟读模仿。注意语音语调自然流畅。

• 教师组织学生两人一组分角色读课文，然后请个别学生朗读，检查朗读情况。

练习册相关练习：第 6 页 / 七

3 汉字

① 知识点解析

笔画

フ（横折）、乚（竖折）、亅（竖钩）

独体字

口：本义是嘴巴，字形像人张开的嘴巴。

见：繁体字形上边是"目"，下边是"人"，意思是"睁着眼睛看"。

山：字形像起伏的山峰，意思是"山峰"。

小：字形像细微的沙，现在意思与"大"相对。

不：原来表示一种工具，现在虚化为副词，表示否定。

② 汉字练习

- 教师板书本课笔画"フ、乚、亅"，给学生展示各个笔画的运笔方向，并书写各自的代表汉字，帮助学生识记笔画。
- 教师板书或者用手指在空中书写本课独体字"口、见、山、小、不"，带领学生识记独体字的笔画笔顺。
- 补充练习

  给下列汉字注音并组词

  见（　　　）＿＿＿＿＿＿

  不（　　　）＿＿＿＿＿＿

  练习册相关练习：第7页/八

4 课堂用语

教师带领学生朗读课堂用语，并使学生熟悉其含义。练习课堂用语时可以只标注拼音，不出现汉字。

（1）打开书。

（2）请大声读。

（3）再读一遍。

（4）一起读。

（5）有问题吗？

5 补充课堂活动——听一听，找一找

教师把本班学生分为 A、B 两组，把 36 个韵母分别制作成卡片（两套），打乱顺序分发给两组学生。教师随机朗读 36 个韵母，并在黑板上划分出 A、B 两个区域，要求各组学生按照老师朗读的顺序，把自己手中的韵母卡片排列在黑板上各组的区域内。最后，教师再次朗读一遍全部韵母，并订正 A、B 两组的答案。正确率高的一组获胜。如按以下括号中的顺序朗读韵母：

A 组：

（1）ie	（3）o	（5）iu	（7）eng	（9）ü	（11）iong	（13）ai
（15）er	（17）uo	（19）an	（21）en	（23）uang	（25）i	（27）ing
（29）ua	（31）uan	（33）ia	（35）ian			

B 组：

（2）ei	（4）ün	（6）ao	（8）e	（10）un	（12）ou	（14）ang
（16）iao	（18）in	（20）ui	（22）a	（24）uai	（26）ün	（28）u
（30）ong	（32）üan	（34）ueng	（36）iang			

6 本课小结

- 感谢和告别：谢谢！不谢！不客气！再见！
- 语音：声母 7 个、韵母 18 个

  汉语的轻声

  拼音规则（1）：标调法和省写
- 汉字：独体字"口、见、山、小、不"

附注：建议教学用具

1. 拼音卡片：第 1、2 课拼音卡片（或挂图）

2. 独体字卡片：第 1、2 课独体字卡片

3 你叫什么名字

一、教学内容和教学目标

重点词语	学生能够熟练掌握"叫、名字、老师、学生、人"的词义和用法
语言点	学生能够了解并掌握： （1）疑问代词"什么" （2）"是"字句 （3）用"吗"的疑问句
语音	学生能够： （1）熟悉声母 j、q、x 和 z、c、s 的发音区别并能正确发音 （2）熟悉韵母 i、u、ü 的发音区别并能正确发音 （3）熟悉并掌握"不"的变调 （4）熟悉单韵母 ü 和 ü 开头的韵母跟 j、q、x 相拼的规则
汉字	学生能够： （1）熟练认读本课生词 （2）掌握"┐、乚"两种笔画的正确写法 （3）独立书写独体字"月、心、中、人" （4）了解"先横后竖、先撇后捺"的笔顺规则
功能	学生能够： （1）询问和回答姓名 （2）询问和回答职业、国籍 （3）介绍他人的姓名、职业、国籍

二、教学步骤

复习旧课

1. 教师出示汉语拼音的全部声母和韵母，要求学生快速朗读。

声母：

b	p	m	f
d	t	n	l
g	k	h	
j	q	x	
zh	ch	sh	r
z	c	s	

韵母：

	i	u	ü	er
a	ia	ua		
o		uo		
e	ie		üe	
ai		uai		
ei		uei (ui)		
ao	iao			
ou	iou (iu)			
an	ian	uan	üan	
en	in	uen (un)	ün	
ang	iang	uang		
eng	ing	ueng		
ong	iong			

2. 教师出示第 2 课独体字卡片，要求学生认读汉字。

　　口、见、山、小、不

二　学习新课

1 热身

　　　　教师可依次指示热身部分的图片，要求学生集体或单个说出图片对应的词语，教师评判正误，并注意纠正学生的发音错误。最后全体学生再次齐读热身环节的所有词语，要求语音标准、声调准确。

　　　　答案：①C　②D　③A/F　④B/E　⑤A　⑥B

2 生词

（1）生词快速认读及正音

　　　　叫、什么、名字、我、是、老师、

　　　　吗、学生、人、李月、中国、美国

- 教师使用生词卡片有拼音和汉字的一面，带领学生快速认读一遍本课生词；
- 使用生词卡片只有汉字的一面，带领学生再次认读本课生词；
- 请单个学生独自认读 2–3 个生词；
- 最后全体学生再快速认读一遍本课所有生词。

> 注意：
> - 生词认读过程中教师始终要注意纠正学生的错误发音，学生齐读时要注意纠正学生共性的发音错误，个别认读时要注意纠正学生的个别发音错误。（后课同）
> - 教师要提示学生注意"什么、名字、学生"中轻声音节的发音，强调声调的准确性。

（2）重点生词扩展及常用搭配

叫—叫李月—我叫李月。

名字—什么名字—叫什么名字—你叫什么名字？

老师—中国老师—美国老师

学生—中国学生—美国学生

人—中国人—美国人

练习册相关练习：第9页／一／第一部分，第12页／二／第一部分

3 语言点

（1）疑问代词"什么"

① 语言点解析

    疑问代词"什么"表示疑问，用在疑问句中可直接做宾语，或者与后接名词性成分一起做宾语。

主语＋动词＋什么？

主语＋动词＋什么＋名词？

② 语言点导入

教师出示一本汉语书，引导学生进行问答。

教师：这是什么？

学生：这是书。

教师：这是什么书？

学生：这是汉语书。

教师出示课本中李月的图片，引导学生进行问答。

教师：她叫什么名字？

学生：她叫李月。

③ 语言点操练

教师可出示几张名人照片，引导学生进行问答。

教师：他／她叫什么名字？

学生：他／她叫……。

④ 语言点扩展练习

教师可组织学生根据实际情况，两人一组进行问答练习。

A：你叫什么名字？

B：我叫……。

（2）"是"字句

① 语言点解析

    "是"字句是由"是"构成的判断句，用于表达人或事物等于什么或者属于什么。其否定形式是在"是"前加上否定副词"不"。

……（不）是……。

② 语言点导入

教师出示汉语书、老师、学生的图片，引导学生一起说句子。

目标句：这是汉语书。

她是老师。

他不是老师，他是学生。

③ 语言点操练

教师可利用教室里的实际物品和本课相关图片引导学生进行操练。

目标句：这是汉语书，这不是英语书。

这是本子。

这是词典。

他们是中国人，不是美国人。

④ 语言点扩展练习

教师可组织学生根据实际情况进行自我介绍。

我叫……，我是……人。我不是……，我是……。

（3）用"吗"的疑问句

① 语言点解析

疑问助词"吗"表示疑问语气，加在陈述句句尾构成疑问句。

> ……吗？

② 语言点导入

教师出示一张学生的图片和一张李月的图片，引导学生进行问答。

教师：他是老师吗？

学生：不是，他是学生。

教师：李月是学生吗？

学生：不是，李月是老师。

③ 语言点操练

教师可利用教室里的实际物品和本课相关图片引导学生进行操练。

目标句：这是汉语书吗？

这是本子吗？

这是词典吗？

他们是中国人？

她是李月吗？

④ 语言点扩展练习

教师可组织学生根据实际情况，两人一组进行问答练习。

A：你好，你叫什么名字？

B：我叫……。你叫什么名字？

A：我叫……。你是……人吗？

B：不是，我不是……人，我是……人。

A：你是老师／学生吗？

B：……

4 课文

课文 1

（1）教师领读课文两遍，并出示课文图片，请学生回答问题：

她叫什么名字？

（2）根据学生的回答，教师领说目标句，并请学生单个复述：

她叫李月。

（3）教师组织学生分角色朗读课文。

课文 2

（1）教师领读课文两遍，并指示课文图片第一排左边的女生，请学生回答问题：

她是老师吗？

（2）根据学生的回答，教师领说目标句，并请学生单个复述：

她不是老师，她是学生。

（3）教师组织学生分角色朗读课文。

课文 3

（1）教师领读课文两遍，并指示课文图片左边的女孩儿，请学生回答下列问题：

她是中国人吗？

她是老师吗？

（2）根据学生的回答，教师领说目标句，并请学生单个复述：

她不是中国人，她是美国人。

她不是老师，她是学生。

（3）教师组织学生分角色朗读课文。

5 语音

（1）发音辨析：声母 j、q、x 和 z、c、s

　　j、q、x 是舌面音，发 j、q 时舌面要与硬腭接触，j 没有强烈的气流呼出，而 q 有强烈的气流呼出。发 x 时，舌面接近硬腭，但不要接触，始终保持一条缝隙。

　　z、c、s 是舌尖前音。发 z、c 时，舌尖前部与上齿背接触，然后马上打开形成缝隙，z 没有强烈的气流通过，而 c 则有明显的气流通过。发 s 时，舌尖前与上齿背始终不接触，保留缝隙使气流流出。

　　教师可利用课本第 17、18 页的发音部位图，引导学生体会两组声母的发音区别。

练习册相关练习：第 15 页 / 三 / 第一部分

（2）发音辨析：韵母 i、u、ü

　　　　i 和 ü 是发音位置相同、嘴唇形状不同的两个韵母，发 i 时嘴唇的形状是平的，而发 ü 时一定要圆唇。练习时可以发好 i，保持发音部位不动，然后把嘴唇圆起来就可以发出 ü。

i —— ü

　　　　u 和 ü 都是圆唇音，但是发音时 u 的舌位在前，舌尖抵住下齿背，而 u 的舌位在后，发音时舌尖不能和下齿背接触，舌头要尽力往后收才能发对。

u —— ü

　　　　教师可利用课本第 19 页的发音部位图引导学生体会三个韵母的发音区别。

（3）"不"的变调

　　　　"不"在第一、二、三声音节前不变调；在第四声音节前变为第二声。

　　　　练习册相关练习：第 15 页 / 三 / 第二部分

（4）拼音规则（2）：单韵母 ü 和 ü 开头的韵母跟 j、q、x 相拼的规则

　　　　ü 和 ü 开头的韵母跟声母 j、q、x 拼的时候，ü 上两点要省略，写成 ju、qu、xu。但是跟声母 l、n 拼的时候，仍然写成 lü、nü。

　　　　教师可利用课本第 19 页的练习，引导学生注意 ü 在 j、q、x 后的书写形式。

6 汉字

① 知识点解析

> 笔画

丁（横折钩）、乚（卧钩）

> 独体字

月：表示月亮。

心：表示心脏。

中：本义是飘扬的旗子，现在表示方位，意思是"中间"。

人：表示直立的人。

② 汉字练习

- 教师板书本课笔画"丁、乚"，给学生展示这两个笔画的运笔方向，并书写各自的代表汉字，帮助学生识记笔画。
- 教师板书或者用手指在空中书写本课独体字"月、心、中、人"，带领学生识记独体字的笔画笔顺。
- 教师通过板书例字，给学生展示汉字的基本笔顺（1）：先横后竖、先撇后捺。
- 补充练习

给下列汉字注音

你、我、人、中、国、叫、心、月、是

练习册相关练习：第 16 页 / 四

7 补充课堂活动——他 / 她是哪国人

　　教师请学生每人准备一张自己喜欢的明星或者名人的照片，并请学生用本课所学的语言点给大家介绍这个人。最后，教师出示学生展示过的照片，大家集体复述所介绍的内容。

　　他 / 她叫……，他 / 她是……人（国籍），他 / 她是……（职业）。

8 本课小结

- 语言点：疑问代词"什么"

　　　　　　……（不）是……。

　　　　　　……吗？

- 语　音：声母 j、q、x 和 z、c、s 的发音辨析

　　　　　　韵母 i、u、ü 的发音辨析

　　　　　　"不"的变调

　　　　　　单韵母 ü 和 ü 开头的韵母跟 j、q、x 相拼的规则

- 汉　字：独体字"月、心、中、人"

附注：建议教学用具

1. 拼音卡片：第 2 课拼音卡片（或挂图）

2. 生词卡片：第 3 课生词卡片

　　如：

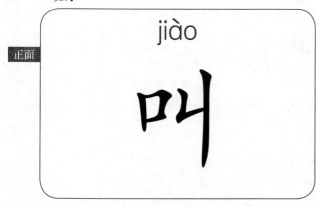

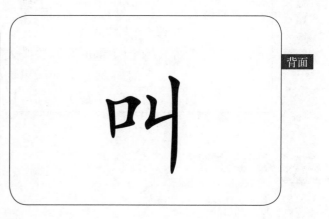

3. 独体字卡片：第 3 课独体字卡片

4. 图片：名人照片

4 她是我的汉语老师

一、教学内容和教学目标

重点词语	学生能够熟练掌握"她、他、汉语、国、哪、同学、朋友"的词义和用法
语言点	学生能够了解并掌握： （1）疑问代词"谁""哪" （2）结构助词"的" （3）疑问助词"呢"（1）：用于询问上文提到的情况
语音	学生能够： （1）熟悉声母 zh、ch、sh、r 的发音区别并能正确发音 （2）熟悉前鼻音韵母 n 和后鼻音韵母 ng 的发音区别并能正确发音 （3）熟悉并掌握"一"的变调 （4）熟悉 y、w 的用法
汉字	学生能够： （1）熟练认读本课生词 （2）掌握"乚、乙"两种笔画的正确写法 （3）独立书写独体字"七、儿、几、九" （4）了解"从上到下、从左到右"的笔顺规则
功能	学生能够： （1）询问和回答某人是谁 （2）表达人或者事物的所属关系 （3）承接上文简短提问

二、教学步骤

一 复习旧课

1. 教师出示第 3 课生词卡片，要求学生快速认读下列生词。

> 叫、什么、名字、我、是、老师、
> 吗、学生、人、李月、中国、美国

2. 教师根据第 3 课重点内容简单提问，活跃课堂气氛。

（1）你叫什么名字？　　　　　（4）你是老师吗？

（2）你是中国人吗？　　　　　（5）这是什么？

（3）你是学生吗？

二 学习新课

1 热身

教师可依次指示热身部分的图片，要求学生集体或单个说出图片对应的词语，教师评判正误，并注意纠正学生的发音错误。最后全体学生再次齐读热身环节的所有词语，要求语音标准、声调准确。

答案：①B　②D/E　③C　④A/F　⑤D　⑥A

2 生词

（1）生词快速认读及正音

她、谁、的、汉语、哪、国、

呢、他、同学、朋友

- 教师使用生词卡片有拼音和汉字的一面，带领学生快速认读一遍本课生词；
- 使用生词卡片只有汉字的一面，带领学生再次认读本课生词；
- 请单个学生独自认读 2–3 个生词；
- 最后全体学生再快速认读一遍本课所有生词。

> 注意：
> 教师要提示学生注意"他"和"她"字形的不同和字义的区别。

（2）重点生词扩展及常用搭配

她—她们—她们是中国人。

他—他们—他们是美国人。

汉语—汉语老师—李月是汉语老师。

国—中国—美国

哪—哪国—哪国人—你是哪国人？

同学—我们是同学。

朋友—中国朋友—美国朋友

练习册相关练习：第17页/一/第一部分，第20页/二/第一部分

3 语言点

（1）疑问代词"谁""哪"

① 语言点解析

疑问代词"谁"在疑问句中用来询问人。"谁"可以用在主语的位置，也可以用在宾语的位置。

谁＋动词＋宾语？

主语＋动词＋谁？

疑问代词"哪"用在疑问句中，表示要求在几个人或者事物中确定一个，其结构形式为：

哪＋量词/名词＋名词？

② 语言点导入

教师出示一张李月的图片和一张外国学生的图片，引导学生进行问答。

教师：谁是李月？

学生：她是李月。

教师：李月是谁？

学生：李月是汉语老师。

教师：李月是哪国人？

学生：李月是中国人。

③ 语言点操练

教师可组织学生根据实际情况进行问答练习。

目标句：谁是……？	你是哪国人？
谁叫……？	谁是中国人/美国人/……？
他/她是谁？	谁是老师？
……是谁？	谁是学生？

（2）结构助词"的"

① 语言点解析

结构助词"的"本课用于表达一种所属关系，当"的"后边的名词是亲属称谓或者指人的名词时，"的"可以省略。

名词/代词 + 的 + 名词

② 语言点导入

教师可利用自己和学生的汉语课本进行导入，引导学生进行问答练习。

教师：这是什么？

学生：这是汉语书。

教师：这是谁的汉语书？

学生：这是老师的汉语书。

教师：这是老师的汉语书吗？

学生：这不是老师的汉语书，这是……的汉语书。

③ 语言点操练

教师可利用教室里的实际物品和本课相关图片引导学生进行操练。

目标句：这是……的汉语书。

这是……的本子。

这是……的词典。

他/她是我（的）同学/朋友。

④ 语言点扩展练习

教师可组织学生3-4人一组，根据照片，分别介绍一位自己的同学、朋友或者家人。

他/她是我……，他/她叫……，他/她是……。

注意：

　　教师要提醒学生注意，在"的"字结构中，如果后边的名词是亲属称谓或者表示人的名词时，"的"字可以省略；如果后边的名词是一般表示事物的名字，"的"则不能省略。如可以说"我的同学"，也可以说"我同学"，但是一定要说"我的书"。

（3）疑问助词"呢"（1）

① 语言点解析

疑问助词"呢"可以用在名词或代词后构成疑问句，用于询问上文提到的情况。

> A……。B呢?

② 语言点导入

教师可根据班级实际情况进行导入，引导学生进行问答。

教师：我是老师。他 / 她呢?

学生：他 / 她不是老师，他 / 她是学生。

教师：我是中国人。你呢?

学生：我不是中国人，我是……人。

③ 语言点操练

教师可组织学生两人一组，根据实际情况完成对话。

A：你好! 你叫什么名字?

B：我叫……。你呢?

A：我叫……。你是哪国人?

B：我是……人。你呢?

A：我是……人。你是老师吗?

B：不是，我是……。你呢?

A：……。

4 课文

课文 1

（1）让学生听两遍录音并回答下列问题：

她叫什么名字?

她是谁?

（2）根据学生的回答，教师领说变为叙述体的课文，并请学生单个复述：

她叫李月，她是我的汉语老师。

（3）教师领读课文两遍，然后让学生分角色朗读课文。

课文 2

（1）教师对本段课文图片中的人物进行提问，让学生听两遍录音并回答下列问题：

他是哪国人?

她是哪国人?

（2）请学生对图片中的人物进行描述，并请学生单个复述：

他是美国人，她是中国人。

（3）教师领读课文两遍，然后让学生分角色朗读课文。

课文 3

（1）教师对本段课文图片中的人物进行提问，让学生听两遍录音并回答下列问题：

他是谁？

她是"我"同学吗？她是谁？

（2）根据学生的回答，教师领说变为叙述体的课文，并请学生单个复述：

他是我同学。她不是我同学，她是我朋友。

（3）教师领读课文两遍，然后让学生分角色朗读课文。

（4）模仿练习

学生两人一组，根据班里同学的实际情况进行对话练习。

A：他 / 她是谁？

B：他 / 她是……。

A：他 / 她呢？他 / 她是……吗？

B：他 / 她不是……，他 / 她是……。

5 语音

（1）发音辨析：声母 zh、ch、sh、r

zh、ch、sh、r 是一组翘舌音，是由翘起的舌尖和硬腭前部配合而发音的。发 zh、ch 时，舌尖要先和硬腭接触，然后打开一条缝隙让气流通过，发 zh 时没有强烈的气流呼出，而发 ch 时呼出的气流很强。发 sh 时，舌尖不要与硬腭接触，要始终保持一条缝隙。与 sh 不同，在发 r 时声带要振动。

教师可利用课本第 25 页的发音部位图，引导学生体会这组声母的发音区别。

（2）发音辨析：前鼻音韵母 n 和后鼻音韵母 ng

发前鼻音 n[n] 时舌尖要抵住上齿龈，而发后鼻音 ng[ŋ] 时，舌头的后部要拱起，舌根向后收缩，抵住软腭；发 n[n] 时上下齿相对，开口较小，而发 ng[ŋ] 时开口度较大。

教师可利用课本第 26 页的发音部位图，引导学生体会这组鼻音韵母的区别。

以上两点"发音辨析"练习册相关练习：第 23 页 / 三 / 第一部分

（3）"一"的变调

"一"在第一、二、三声音节前变成第四声；在第四声音节前变成第二声；单用或表示数字时不变调。

练习册相关练习：第 23 页 / 三 / 第二部分

（4）拼音规则（3）：y、w 的用法

　　　教师可利用课本第 27 页的表格让学生发现汉语拼音 y、w 用法的规则并进行归纳总结。

　　　①i 行韵母自成音节时要用 y 开头。如果 i 后没有别的元音，就在 i 的前边加上 y，这类韵母有三个：i、in、ing；如果 i 后还有别的元音，就把 i 改为 y，这类韵母有七个：ia、ie、iao、ian、iang、iong、iu，其中注意 iu 自成音节时要把中间省略的 o 补充出来，写成 you。

　　　②u 行韵母自成音节时要用 w 开头。如果 u 后没有别的元音，就在 u 的前边加上 w，这类韵母只有一个单元音 u；如果 u 后还有别的元音，就把 u 改成 w，这类韵母有八个：ua、uo、uai、uan、uang、ueng、ui、un，其中注意 ui、un 自成音节时要把中间省略的 e 补充出来，写成 wei、wen。

　　　③ü 行韵母自成音节时也要用 y 开头。无论 ü 后有没有别的韵母，都在 ü 前加上 y，同时去掉 ü 上的两点，这类韵母有四个：ü、üe、üan、ün。

6 汉字

① 知识点解析

| 笔画 |

乚（竖弯钩）、乙（横折弯钩）

| 独体字 |

七：表示数量"7"。

儿：本义是小孩。现在多指儿子。

几：本义是小矮桌。

九：表示数量"9"。

② 汉字练习

- 教师板书本课笔画"乚、乙"，给学生展示这两个笔画的运笔方向，并书写各自的代表汉字，帮助学生识记笔画。
- 教师板书或者用手指在空中书写本课独体字"七、儿、几、九"，带领学生识记独体字的笔画笔顺。
- 教师通过板书例字，给学生展示汉字的基本笔顺（2）：从上到下、从左到右。
- 补充练习

　　a.给下列汉字注音

　　　七、九、儿、几、同、哪、谁、朋、学

　　b.辨认下列汉字

　　　{ 十　　　　　{ 儿
　　　　什　　　　　　几
　　　　她　　　　　　九
　　　　他　　　　　　月

练习册相关练习：第 24 页／四

7 补充课堂活动——听词语，说句子

　　教师准备一些词语卡片（只有汉字、没有拼音）分发给学生，每人一张。教师依次随机说出卡片上的词语，请持有该词卡的学生快速举起卡片重复该词语，并用该词语说出一个句子。学生说出的句子不能重复。

> 建议词语：中国、美国、老师、学生、同学、朋友、
> 名字、汉语、什么、谁、呢、吗

8 本课小结

- 语言点：疑问代词"谁""哪"
  结构助词"的"
  A……。B 呢？
- 语　音：声母 zh、ch、sh、r 的发音辨析
  前鼻音韵母 n 和后鼻音韵母 ng 的发音辨析
  "一"的变调
  y、w 的用法
- 汉　字：独体字"七、儿、几、九"

附注：建议教学用具

---

1. 生词卡片：第 3、4 课生词卡片

2. 独体字卡片：第 4 课独体字卡片

3. 补充活动卡片：只有汉字没有拼音的词语卡片

　　如：

5 她女儿今年二十岁

一、教学内容和教学目标

重点词语	学生能够熟练掌握"家、有、口、女儿、岁、今年"的词义和用法
语言点	学生能够了解并掌握： （1）疑问代词"几" （2）百以内的数字 （3）"了"表示变化 （4）"多＋大"表示疑问
语音	学生能够： （1）掌握儿化的发音 （2）熟悉以 i、u、ü 开头的韵母的发音并能正确发音 （3）熟悉声母送气音和不送气音的发音并能正确发音 （4）熟悉隔音符号的用法
汉字	学生能够： （1）熟练认读本课生词 （2）掌握"ㄱ、ㄥ"两种笔画的正确写法 （3）独立书写独体字"水、女、了、大" （4）了解"先外后内、先中间后两边"的笔顺规则
功能	学生能够： （1）询问和回答关于年龄的问题 （2）表达百以内的数字

二、教学步骤

一 复习旧课

1. 教师出示第 4 课生词卡片，要求学生快速认读下列生词。

   她、谁、的、汉语、哪、国、

   呢、他、同学、朋友

2. 教师根据第 4 课重点内容简单提问，活跃课堂气氛。

   （1）他 / 她是谁？他 / 她呢？　　　　（4）你的汉语老师是哪国人？

   （2）这是谁的书 / 本子 / 词典 / ……？　（5）你的中国朋友叫什么名字？

   （3）谁是你的汉语老师？

二　学习新课

1　热身

教师可依次朗读热身部分的词语，要求学生集体或单个说出图片对应的编号，教师评判正误。最后全体学生再次齐读热身环节的所有词语，要求语音标准、声调准确。

答案：①B　②B/C　③A/D　④E　⑤F　⑥D

2　生词

（1）生词快速认读及正音

家、有、口、女儿、几、岁、

了、今年、多、大

- 教师使用生词卡片有拼音和汉字的一面，带领学生快速认读一遍本课生词；
- 使用生词卡片只有汉字的一面，带领学生再次认读本课生词；
- 请单个学生独自认读 2–3 个生词；
- 最后全体学生再快速认读一遍本课所有生词。

（2）重点生词扩展及常用搭配

家—我家—你家—他家

　—我们家—你们家—他们家

　—老师家—朋友家—同学家

　—谁的家—这是谁的家？

有—有朋友—有中国朋友—我有中国朋友。

　—有书—有汉语书—我有汉语书。

　—你有中国朋友吗？

　—你有汉语书吗？

口—三口人—四口人—五口人

　—我家有五口人。

　—李月家有三口人。

女儿—我女儿—你女儿—他女儿

　—李老师的女儿—她是李老师的女儿。

　—谁的女儿—她是谁的女儿？

岁—三岁—十岁—二十岁—五十岁

今年—今年三岁—他女儿今年三岁。

　—今年四十岁—李老师今年四十岁。

练习册相关练习：第 25 页 / 一 / 第一部分，第 28 页 / 二 / 第一部分

3 语言点

（1）疑问代词"几"

① 语言点解析

　　疑问代词"几"用来询问数量的多少，一般用于询问 10 以下的数字。"几"的后边一般要加上相应的量词和名词来提问。

> ……几＋量词＋名词？

② 语言点导入

教师可利用本课热身图片 B、C、A 进行导入。

教师出示图片 B：

教师：他们家有几口人？

学生：他们家有六口人。

图片 C：

教师：他们家有几口人？

学生：他们家有三口人。

图片 A：

教师：她几岁？

学生：她三岁。

③ 语言点操练

教师可组织学生根据实际情况进行问答练习。

参考问题：你家有几口人？

　　　　　你们有几个汉语老师？

　　　　　你有几个中国朋友？

> 注意：
>
> 　　教师要提醒学生注意用"几"提问询问数量的一般形式是"……几＋量词＋名词？"但询问年龄时量词后边不加名词，要问"他几岁？"

（2）百以内的数字

① 语言点解析

　　教师利用课本第 32 页的表格引导学生发现汉语百以内数字表达的规则。10 以下的数字直接读出；10 以上的数字先读出十位的数字，再加上个位的数字。如：93，读作"九十／三"。

② 语言点导入

　　教师先带领学生熟读数字 1–10，然后利用课本第 32 页的表格，指示表格中的某一位置，请学生说出相应的数字。

③ 语言点操练

教师随机板书百以内的几个数字，请学生读出来。

（3）"了"表变化

① 语言点解析

"了"用于句末，表示变化或新情况的出现。

> ……了。

② 语言点导入

教师：李老师去年 49 岁，今年——

学生：李老师今年 50 岁了。

教师：李老师的女儿去年 19 岁，今年——

学生：李老师的女儿今年 20 岁了。

③ 语言点操练

教师可出示一些课本出现过的人物图片，并标注人物的年龄，组织学生进行问答练习。

目标句：他／她今年……岁了。

（4）"多＋大"表示疑问

① 语言点解析

"多＋大"在句中表示疑问，用于询问年龄。

> ……多＋大（了）？

② 语言点导入

教师可出示一些名人图片，并标注人物的年龄，组织学生进行问答练习。

教师：……今年……岁。我们可以怎么问？

学生：……今年多大了？

③ 语言点操练

教师可组织学生两人一组，根据提示词完成对话练习。

A：你家有几口人？

B：我家有……，……和我。

A：你今年多大了？

B：我今年……。

A：……今年几岁／多大／多大年纪了？

B：……今年……了。

	yéye	nǎinai	bàba	māma	gēge	jiějie	dìdi	mèimei
补充词语：	爷爷、	奶奶、	爸爸、	妈妈、	哥哥、	姐姐、	弟弟、	妹妹

> 注意：
>
> 　　教师应提示学生注意，中国人在询问年龄时要根据对方的年龄来选择提问的方式。对于 10 岁以下的孩子，一般用"……今年几岁了？"来提问；对于年轻人或者和自己年纪相仿的人，一般用"……今年多大了？"；而对于年纪较大的长辈，则应该用"……今年多大年纪了？"来提问，以示尊敬。（可参照本课后的"文化"部分进行介绍）

4 课文

课文 1

（1）让学生听两遍录音并回答下列问题：

他家有几口人？

（2）根据学生的回答，教师领说目标句，并请学生单个复述：

他家有三口人。

（3）教师领读课文两遍，然后让学生分角色朗读课文。

课文 2

（1）教师对本段课文图片中的人物进行提问，让学生听两遍录音并回答下列问题：

她是谁？

她今年几岁了？

（2）教师指示图片中的人物，领说目标句，并请学生单个复述：

她是"我"女儿，她今年四岁了。

（3）教师领读课文两遍，然后让学生分角色朗读课文。

课文 3

（1）教师对本段课文图片中的人物进行提问，让学生听两遍录音并回答下列问题：

李老师今年多大了？

李老师有女儿吗？

李老师的女儿今年多大了？

（2）教师指示图片中的人物，领说目标句，并请学生单个复述：

这是李老师，这是李老师的女儿。

李老师今年 50 岁了，李老师的女儿今年 20 岁。

（3）教师领读课文两遍，然后让学生分角色朗读课文。

（4）模仿练习

老师组织学生两人一组，根据班里学生的实际情况进行对话练习。

A：……今年多大了？

B：他 / 她今年……。

A：……呢？

B：他 / 她今年……。

5 语音

（1）儿化的发音

汉语中的"儿"可以和它前面的音节结合成为一个音节，变成"儿化音"。汉字书写时表示为"汉字＋儿"，拼写时在该汉字的拼音后加"r"。例如"花"，变成儿化音节时写成"花儿"，拼音写作"huār"。

> 注意：
> 教师要提示学生注意"儿"的实际发音会因它前一个音节发音的不同而不同。

练习册相关练习：第31页／三／第二部分

（2）发音辨析：以 i、u、ü 开头的韵母

教师可利用课本第34-35页的练习让学生体会有无这三个介音发音时的区别。听完录音后，教师随机读一些韵母，要求学生判断是否有介音，有的话指出是哪一个介音。

练习册相关练习：第31页／三／第一部分

（3）声母送气音和不送气音发音的区别

汉语声母的发音有送气和不送气的区别，b–p, d–t, g–k, j–q, z–c, zh–ch，以上各组声母中前一个是不送气音，后一个是送气音。送气音在发音时有较强的气流呼出，不送气音在发音时则没有强烈的气流呼出，这是送气音和不送气音的根本区别。

教师可以在发送气音时在面前放一张薄纸，通过发音时气流吹动薄纸来使学生明白并掌握发音要领。

（4）拼音规则（4）：隔音符号

a、o、e 开头的音节连接在其他音节后面的时候，为了避免音节的界限发生混淆，用隔音符号（'）隔开，例如 pí'ǎo（皮袄）。

教师可让学生课下利用词典或上网搜索，每人再找 1–2 个汉语中使用隔音符号的情况。

6 汉字

① 知识点解析

笔画

乛（横撇）、乀（撇点）

独体字

水：字形像山涧，表示水流的形状。

女：字形像一个跪在地上的女人，意思是"女人"。

了：最初的字形表示已经出生的婴儿，现在成为虚词。

大：本义是张开双手双腿顶天立地的人，现在意思与"小"相对。

② 汉字练习

- 教师板书本课笔画"乛、乀",给学生展示这两个笔画的运笔方向,并书写各自的代表汉字,帮助学生识记笔画。
- 教师板书或者用手指在空中书写本课独体字"水、女、了、大",带领学生一起识记独体字的笔画笔顺。
- 教师通过板书例字,给学生展示汉字的基本笔顺(3):先外后内、先中间后两边。
- 补充练习

    a. 给下列汉字注音

    女、儿、几、了、多、大、今、年、水

    b. 辨认下列汉字

    {多
    {名   {他
    {你   {同
    {国

    练习册相关练习:第 32 页 / 四

[7] **补充课堂活动——说说他们的家**

教师组织学生 3–4 人一组,每人准备一张名人及其家人的合影,并分别介绍这位名人的家庭成员及年龄情况。

这是……的家。他 / 她家有……口人。

这是……,这是……,这是……。

……今年……岁了。他 / 她……今年……。他 / 她……今年……。

……

[8] **本课小结**

- 语言点:疑问代词"几"

    数字 1–99

    "……了。"表变化

    "多 + 大"询问年龄

- 语　音:儿化音的发音

    i、u、ü 开头的韵母的发音辨析

    声母送气音和不送气音发音的区别

    隔音符号

- 汉　字:独体字"水、女、了、大"

附注:建议教学用具

1. 生词卡片:第 4、5 课生词卡片

2. 独体字卡片:第 5 课独体字卡片

3. 图片:名人照片(标注年龄)

文化：中国人对年龄的询问方法

1 文化点解析

与西方文化不同，中国人并不把年龄看作个人隐私问题，年龄是在社交活动中经常提及的话题。中国人询问年龄的方式主要有三种：

① 你今年几岁了？（用于询问 10 岁以下的孩子）

② 你今年多大了？（用于询问青年人或者和自己年龄相仿的人）

③ 您今年多大年纪了？（用于询问年长的人）

2 文化点参考处理方式

- 教师可出示几张不同年龄阶段人物的图片，请学生根据图片中的人物选择正确的提问年龄的方式。
- 教师组织学生两人一组，根据各自家庭成员的年龄情况进行问答练习。

A：你爷爷 / 奶奶……?

B：……。

A：你爸爸 / 妈妈……?

B：……。

A：你哥哥 / 姐姐 / 弟弟 / 妹妹……?

B：……。

6 我会说汉语

一、教学内容和教学目标

重点词语	学生能够熟练掌握"说、菜、好吃、做、写、汉字、字、读"的词义和用法
语言点	学生能够了解并掌握： （1）能愿动词"会"（1）：表示通过学习获得某种能力 （2）形容词谓语句 （3）疑问代词"怎么"（1）：用于询问动作的方式
语音	学生熟悉双音节词语的一声音节和各声调搭配的声调模式，并能正确朗读
汉字	学生能够： （1）熟练认读本课生词 （2）掌握"乚、丿、乀"三种笔画的正确写法 （3）独立书写独体字"东、我、西" （4）了解汉字的独体结构与合体结构
功能	学生能够： （1）表达通过学习而获得的某种能力 （2）表达人或者事物的性质或者状态 （3）询问动作行为进行的方式

二、教学步骤

一 复习旧课

1. 教师出示第 5 课生词卡片，要求学生快速认读下列生词。

家、有、口、女儿、几、岁、
了、今年、多、大

2. 教师根据第 5 课重点内容简单提问，活跃课堂气氛。

（1）你家有几口人？　　　　　（4）你有几个中国朋友？他们叫什么名字？

（2）你今年多大了？　　　　　（5）你的中国朋友今年多大了？

（3）你们有几个汉语老师？

二 学习新课

1 热身

　　教师可依次朗读热身部分的词语，要求学生集体或单个说出图片对应的编号，教师评判正误。最后全体学生再次齐读热身环节的所有词语，要求语音标准、声调准确。

　　答案：①E/F　②A/D　③B　④C　⑤D　⑥E

2 生词

（1）生词快速认读及正音

　　会、说、妈妈、菜、很、好吃、

　　做、写、汉字、字、怎么、读

- 教师使用生词卡片有拼音和汉字的一面，带领学生快速认读一遍本课生词；
- 使用生词卡片只有汉字的一面，带领学生再次认读本课生词；
- 请单个学生独自认读 2–3 个生词；
- 最后全体学生再快速认读一遍本课所有生词。

> 注意：
> 　　本课生词中包含 zh、ch、sh 和 z、c、s 的音较多，教师要注意提示学生辨别清楚，正确发音。

（2）重点生词扩展及常用搭配

　　说—说汉语—说英语—说法语

　　　—中国人说汉语。—美国人说英语。—法国人说法语。

　　菜—中国菜—日本菜—法国菜

　　　—哪国菜—你吃哪国菜？—我吃中国菜。

　　好吃—很好吃—不好吃

　　　　—中国菜很好吃。—他做的菜不好吃。

　　做—做菜—做什么菜？

　　　—做中国菜—做日本菜—做法国菜

　　写—写汉字—写名字—写汉语名字

　　汉字—一个汉字—几个汉字—学汉字

　　字—一个字—几个字—写字

　　读—读汉字—读书—读课文

　　练习册相关练习：第33页/一/第一部分，第36页/二/第一部分

3 语言点

（1）能愿动词"会"(1)

① 语言点解析

　　　能愿动词（也叫"助动词"）"会"常常和后边的实义动词一起构成句子的谓语部分，表示通过学习而获得某种能力。否定形式是"不会"，疑问形式可以在句尾加上疑问助词"吗"。

> 主语 + （ 不 ） 会 + 动词。

> 主语 + 会 + 动词 + 吗？

② 语言点导入

教师可利用本课热身图片 C、D、E 进行导入。

教师：他们说什么？　　　　　　　　其他目标句：她会写汉字。

学生：他们说汉语。　　　　　　　　　　　　　　她会做中国菜。

教师：他们会说汉语。

③ 语言点操练

教师可组织学生根据实际情况进行问答练习。

参考问题：你会说汉语吗？

你妈妈／爸爸……会说汉语吗？

你会写汉字吗？

你会做中国菜吗？

谁会做中国菜？

你会写你的汉语名字吗？

（2）形容词谓语句

① 语言点解析

形容词可在句子中做谓语，描述人或者事物的性质或状态。肯定形式中形容词前常常用程度副词"很"，否定形式要在形容词前加上否定副词"不"。

> 主语 + 程度副词 + 形容词。

> 主语 + 不 + 形容词。

② 语言点导入

教师出示一张中国菜的图片。

教师：中国菜好吃吗？

学生：中国菜很好吃。

教师出示一张一个外国人和中国人聊天儿的图片。

教师：他的汉语好吗？

学生：他的汉语很好。

③ 语言点操练

教师可组织学生根据实际情况进行问答练习。

参考问题：你好吗？

你的爸爸妈妈好吗？

中国菜／日本菜／法国菜好吃吗？

你的汉语好吗？

你的汉字好吗？

> 注意：
> - 在形容词谓语句中，形容词前一定要有程度副词"很"或者其他程度副词，一起构成句子的谓语部分。例如，要说"我很好"，不说"我好"。
> - 汉语的形容词可以在句子中直接做谓语，而不需要再添加判断动词"是"。例如，说"他的汉语很好"，而"他的汉语是很好"是不对的。

（3）疑问代词"怎么"（1）

① 语言点解析

疑问代词"怎么"用在动词前，询问动作的方式。

> 怎么 + 动词？

② 语言点导入

教师：你不会写这个汉字，你可以问老师……

学生：这个汉字怎么写？

教师：你不会读这个汉字，你可以问老师……

学生：这个汉字怎么读？

教师：你不会做这个中国菜，你可以问你的中国朋友……

学生：这个菜怎么做？

③ 语言点操练

教师可组织学生两人一组，根据实际情况进行问答练习。

A：这个汉字怎么写？

B：……。

A：你的汉语名字怎么写？

B：……。

A：你的汉语名字怎么读？

B：我的汉语名字是……。

> 注意：
> 　　教师可以在本课把疑问代词"什么"和"怎么"略做小结。
> 　　"什么"的后边可以加上名词性成分，而"怎么"的后边要加上动词性成分，这是二者最重要的区别。

4 课文

课文 1

（1）让学生听两遍录音并回答下列问题：

他会说汉语吗？

他妈妈会说汉语吗？

（2）根据学生的回答，教师领说目标句，并请学生单个复述：

他会说汉语，他妈妈不会说汉语。

（3）教师领读课文两遍，然后让学生分角色朗读课文。

课文 2

（1）让学生听两遍录音并回答下列问题：

中国菜好吃吗？

他会做中国菜吗？

（2）根据学生的回答，教师领说目标句，并请学生单个复述：

中国菜很好吃。他不会做中国菜。

（3）教师领读课文两遍，然后让学生分角色朗读课文。

（4）模仿练习

教师组织学生两人一组，根据提示进行对话练习。

A：……菜好吃吗？

B：……菜……。

A：你会做……菜吗？

B：我会 / 不会……。

课文 3

（1）让学生听两遍录音并回答下列问题：

他会写汉字吗？

这个汉字他会写吗？

（2）根据学生的回答，教师领说目标句，并请学生单个复述：

他会写汉字。这个汉字他不会写，他会读。

（3）教师领读课文两遍，然后让学生分角色朗读课文。

（4）模仿练习

教师组织学生两人一组，根据提示进行对话练习。

A：你会写汉字吗？

B：我会……。

A：你有汉语名字吗？

B：有，我的汉语名字是……。

A：你的汉语名字怎么写？

B：……。

5 **语音**

双音节词语的声调搭配（1）：一声和各声调的搭配

双音节词语是现代汉语词汇的重要组成部分，因此掌握双音节词语的声调模式对于学生的汉语语音面貌有着非常重要的作用。

教师可利用课本第44页的例词、声调模式（注：课本上的声调模式为示意图）和图片进行教学。教师分别朗读各声调组合的标准词，让学生一边看调型图一边跟读模仿，并根据图片理解词义，引导学生识记各声调模式标准词的调型，把它作为以后发相同声调模式的其他词语时的发音范本。之后教师可利用课本第44页的练习部分，组织学生进行朗读正音练习。朗读时教师要提醒学生注意各声调搭配的标准词的示范作用。

> 注意：
>
> 在一声与第三声的音节组合中，第三声的发音和单音节第三声的发音不同，是一个近似于211的低降调，音节的后半部分不再升高。

练习册相关练习：第39页/三

6 **汉字**

① 知识点解析

笔画

乚（撇折）、乀（斜钩）、㇀（提）

独体字

东：繁体字形是指太阳升起的一边，意思与"西"相对。

我：字形像一种有许多利齿的武器，现在演变成代词。

西：字形像鸟巢的形状，现在表示方位，与"东"相对。

② 汉字练习

• 教师板书本课笔画"乚、乀、㇀"，给学生展示这三个笔画的运笔方向，并书写各自的代表汉字，帮助学生识记笔画。

• 教师板书或者用手指在空中书写本课独体字"东、我、西"，带领学生一起识记独体字的笔画笔顺。

• 教师通过板书例字，给学生展示汉字的两种基本结构：独体结构与合体结构。

• 补充练习

　a. 给下列汉字分类

　　　你、我、他、她、不、谢、见、说、汉

　　　独体结构：＿＿＿＿＿＿＿＿＿＿＿＿

　　　合体结构：＿＿＿＿＿＿＿＿＿＿＿＿

　b. 辨认下列汉字

　　　｛你　　　　｛吗　　　　｛语
　　　｛您　　　　｛妈　　　　｛说

练习册相关练习：第40页/四

7 **补充课堂活动——你会什么运动**

教师组织学生 3–4 人一组，利用图片就相关体育技能进行调查并填写表格，最后每组请一位学生根据本组情况进行口头报告。

	名字	游泳	打篮球	踢足球	打网球	
1	大卫	√	×	√	√	

口头报告：大卫会游泳，会踢足球，也会打网球，他不会打篮球。

8 **本课小结**

- 语言点：能愿动词"会"表示能力
  形容词谓语句
  疑问代词"怎么"询问方式
- 语　音：双音节词语的声调搭配（1）：一声和各声调的搭配
- 汉　字：独体字"东、我、西"

附注：建议教学用具

1. 生词卡片：第 5、6 课生词卡片

2. 独体字卡片：第 6 课独体字卡片

3. 图片：中国菜、外国人和中国人聊天儿

4. 补充活动图卡：常见体育运动

如：

正面

背面

yóuyǒng

游泳

to swim

7 今天几号

一、教学内容和教学目标

重点词语	学生能够熟练掌握"今天、月、星期、去、看、书"的词义和用法
语言点	学生能够了解并掌握： （1）日期的表达（1）：月、日／号、星期 （2）名词谓语句 （3）连动句（1）：去＋地方＋做什么
语音	学生熟悉双音节词语的二声音节和各声调搭配的声调模式，并能正确朗读
汉字	学生能够： （1）熟练认读本课生词 （2）独立书写独体字"四、五、书" （3）了解汉字的左右结构与左中右结构 （4）了解"氵（三点水）、讠（言字旁）"所表示的意思
功能	学生能够： （1）表达时间：月、日／号、星期 （2）表达动作行为的目的

二、教学步骤

一 复习旧课

1. 教师出示第 6 课生词卡片，要求学生快速认读下列生词。

会、说、妈妈、菜、很、好吃、

做、写、汉字、字、怎么、读

2. 教师根据第 6 课重点内容简单提问，活跃课堂气氛。

（1）你会说汉语吗？　　　　　（4）你觉得中国菜好吃吗？

（2）你会写汉字吗？　　　　　（5）你会做中国菜吗？

（3）你的汉语名字怎么读？　　（6）你会做什么菜？

学习新课

1 热身

教师可依次朗读热身部分的词语，要求学生集体或单个说出图片对应的编号，教师评判正误。最后全体学生再次齐读热身环节的所有词语，要求语音标准、声调准确。

答案：①E　②D　③A　④C　⑤F　⑥B

2 生词

（1）生词快速认读及正音

请、问、今天、号、月、星期、

昨天、明天、去、学校、看、书

- 教师使用生词卡片有拼音和汉字的一面，带领学生快速认读一遍本课生词；
- 使用生词卡片只有汉字的一面，带领学生再次认读本课生词；
- 请单个学生独自认读 2–3 个生词；
- 最后全体学生再快速认读一遍本课所有生词。

> 注意：
> 　教师要引导学生注意双音节词语的声调模式，力求声调准确。

（2）重点生词扩展及常用搭配

今天—今天很好—我今天很好。—你今天好吗？

月—一月、二月、三月、四月、五月、六月、

　　七月、八月、九月、十月、十一月、十二月

星期—星期一、星期二、星期三、星期四、

　　　星期五、星期六、星期日（星期天）

去—去学校—去朋友家—去李老师家

　—你去学校吗？

　—我不去学校，我去朋友家。

看—看书—看老师—看中国朋友

书—一本书—一本汉语书—我有一本汉语书。

练习册相关练习：第41页／一／第一部分，第44页／二／第一部分

3 语言点

（1）日期的表达（1）：月、日／号、星期

① 语言点解析

汉语的日期表达方式遵循由大到小的原则，先说"月"，然后说"日／号"，最后说"星期"。日期一般写作"日"，但在口语中常常用"号"。疑问形式为"几月几号？""星期几？"

> ……月……日／号，星期……

> 几月几号？星期几？

② 语言点导入

教师出示一张日历，根据日历上的时间信息领说当天的日期，练习本课的日期表达法。

例如：8 月 1 号，星期五

同时教师要给学生出示提问的形式"几月几号？星期几？"

③ 语言点操练

教师可组织学生两人一组，根据实际情况进行问答练习。

A：今天几月几号？	A：明天星期几？
B：今天……。	B：明天……。
A：今天星期几？	A：昨天呢？
B：今天……。	B：昨天……月……号，星期……。
A：明天几月几号？	……
B：明天……。	

注意：

　　教师要提示学生注意周末的表达法，要说"星期六、星期日 / 星期天"，而不能说"星期七"。

（2）名词谓语句

① 语言点解析

名词谓语句是谓语部分由名词性成分充当的句子，一般用于表达年龄、时间、日期等。

② 语言点导入

教师可利用第 5 课课文 3 的图片（第 31 页）和日历进行导入。

教师：李老师多大？	教师：今天几月几号？
学生：李老师 50 岁。	学生：今天……月……号。
教师：李老师的女儿呢？	教师：今天星期几？
学生：李老师的女儿 20 岁。	学生：今天星期……。

③ 语言点操练

教师可组织学生根据实际情况进行问答练习。

参考问题：你多大？

　　　　　　你爸爸 / 妈妈 / 哥哥 / 姐姐 / 弟弟 / 妹妹多大？

　　　　　　今天几月几号？

　　　　　　今天星期几？

　　　　　　5 月 1 号星期几？

　　　　　　10 月 22 号星期几？

注意：

　　教师要提醒学生注意，在使用名词谓语句时，表达年龄、时间、日期的名词性成分可以直接做谓语，而不必再加上"是"。例如："李老师 50 岁。"是正确的，而不能说："李老师是 50 岁。"不过在表示日期时则比较灵活，可以说"今天星期六。"也可以说"今天是星期六。"

（3）连动句（1）：去＋地方＋做什么

① 语言点解析

连动句的谓语部分由两个或两个以上动词构成，后一个动作可以表示前一个动作的目的。第一个动词后表示地点的宾语有时可以省略。

| 主语＋去（＋地方）＋做什么。 |

② 语言点导入

教师可利用本课热身图片 A、B 进行导入。

教师先出示图片 A：

教师：她去哪儿？

学生：她去学校。

接着出示图片 B：

教师：她去学校做什么？

学生：她去学校看书。

③ 语言点操练

教师可利用课本中的一些相关图片组织学生练习语言点句式。

目标句：……去中国学习汉语。   ……去学校看李老师。

……去中国看朋友。   ……去中国朋友家吃中国菜。

……去朋友家看书。

④ 语言点扩展练习

教师可组织学生两人一组，根据提示词进行问答练习。

A：……（时间）你去哪儿？

B：我去……（地方）。

A：你去……做什么？

B：我去……（地方）……（做什么）。

> 注意：
>
> 　　教师要提示学生注意，在表示动作行为目的的连动句中，第一个动词后的地点名词在不是重要信息的时候可以省略。例如，可以说"我去学校看书。"也可以说"我去看书"。

4 课文

课文 1

（1）让学生听两遍录音并回答下列问题：

今天几月几号？

今天星期几？

（2）根据学生的回答，教师领说目标句，并请学生单个复述：

今天 9 月 1 号，星期三。

（3）教师领读课文两遍，然后让学生分角色朗读课文。

课文 2

（1）让学生听两遍录音并回答下列问题：

　　　昨天是 8 月 31 号吗？

　　　昨天是星期几？

　　　明天是几月几号？星期几？

（2）根据学生的回答，教师领说目标句，并请学生单个复述：

　　　明天是 9 月 2 号，星期四。

（3）教师领读课文两遍，然后让学生分角色朗读课文。

课文 3

（1）让学生听两遍录音并回答下列问题：

　　　明天星期几？

　　　明天她去哪儿？

　　　她去学校做什么？

（2）根据学生的回答，教师领说目标句，并请学生单个复述：

　　　明天星期六，她去学校看书。

（3）教师领读课文两遍，然后让学生分角色朗读课文。

（4）模仿练习

　　　教师组织学生两人一组，根据提示进行对话练习。

A：明天几月几号？	A：明天你去……吗？
B：明天……。	B：不去，明天我去……。
A：明天星期几？	A：你去……做什么？
B：明天……。	B：我去……。

5 **语音**

　　双音节词语的声调搭配（2）：二声和各声调的搭配

　　　教师可利用课本第 52 页的例词、声调模式和图片进行教学。教师分别朗读各声调组合的标准词，让学生一边看调型图一边跟读模仿，并根据图片理解词义。

　　　之后教师可利用课本第 52 页的练习部分，组织学生进行朗读正音练习。朗读时教师要提醒学生注意各声调搭配的标准词的示范作用。

> 注意：
>
> 　　在这种音节组合中，第三声的发音和单音节第三声的发音不同，是一个近似于 211 的低降调，音节的后半部分不再升高。

练习册相关练习：第 47 页／三

6 汉字

① 知识点解析

独体字

四：表示数量"4"。

五：表示数量"5"。

书：繁体字形本义是将毛笔放在墨池中蘸墨以便涂写，现在是"书写、书籍"等意思。

偏旁

氵：三点水，一般和水有关系。

讠：言字旁，一般和语言、说话有关系。

② 汉字练习

• 教师板书或者用手指在空中书写本课独体字"四、五、书"，带领学生一起识记独体字的笔画笔顺。

• 教师板书本课偏旁"氵、讠"，提示学生注意这两个偏旁的笔画和笔顺，并书写各自的代表汉字，帮助学生识记该偏旁的意义。

• 教师通过板书例字，给学生展示汉字的两种合体结构：左右结构与左中右结构。

• 补充练习

a. 给下列汉字分类

你、谢、好、明、昨、树、校

左右结构：＿＿＿＿＿＿＿＿＿

左中右结构：＿＿＿＿＿＿＿

b. 辨认下列汉字

$\begin{cases} 么 \\ 去 \end{cases}$　　$\begin{cases} 明 \\ 期 \end{cases}$　　$\begin{cases} 学 \\ 字 \end{cases}$

练习册相关练习：第48页/四

7 补充课堂活动——这个星期六/星期日你做什么

教师组织学生2–3人一组，就本周末的安排进行调查并填写表格，最后每组请一位同学根据本组情况进行口头报告。

	名字	星期六	星期日
1	大卫	去学校看书	去朋友家吃饭

口头报告：大卫星期六去学校看书，星期日去朋友家吃饭。

8 **本课小结**

- 语言点：日期的表达：……月……日 / 号，星期……

  名词谓语句

  连动句：去（＋地方）＋做什么
- 语　音：双音节词语的声调搭配（2）：二声和各声调的搭配
- 汉　字：独体字"四、五、书"

  偏旁" 氵、讠"

附注：建议教学用具

1. 生词卡片：第 6、7 课生词卡片

2. 独体字卡片：第 7 课独体字卡片

3. 日历

8 我想喝茶

一、教学内容和教学目标

重点词语	学生能够熟练掌握"喝、吃、下午、商店、买、这、那"的词义和用法
语言点	学生能够了解并掌握： （1）能愿动词"想" （2）疑问代词"多少" （3）量词"个""口" （4）钱数的表达：……元/块
语音	学生熟悉双音节词语的三声音节和各声调搭配的声调模式，并能正确朗读
汉字	学生能够： （1）熟练认读本课生词 （2）独立书写独体字"少、个" （3）了解汉字的上下结构与上中下结构 （4）了解"钅（金字旁）、口（口字旁）"所表示的意思
功能	学生能够： （1）表达意愿或者愿望 （2）询问和回答钱数 （3）正确使用量词"个""口"

二、教学步骤

一 复习旧课

1. 教师出示第 7 课生词卡片，要求学生快速认读下列生词。

请、问、今天、号、月、星期、

昨天、明天、去、学校、看、书

2. 教师根据第 7 课重点内容简单提问，活跃课堂气氛。

（1）今天几月几号？

（2）今天星期几？

（3）明天几月几号？星期几？昨天呢？

（4）昨天你去哪儿了？你去做什么了？

（5）星期六你去哪儿？你去做什么？

二 学习新课

1 热身

    教师可依次朗读热身部分的词语，要求学生集体或单个说出图片对应的编号，教师评判正误。最后全体学生再次齐读热身环节的所有词语，要求语音标准、声调准确。

    答案：①F ②C ③A ④B ⑤D ⑥E

2 生词

（1）生词快速认读及正音

    想、喝、茶、吃、米饭、下午、商店、买、

    个、杯子、这、多少、钱、块、那

- 教师使用生词卡片有拼音和汉字的一面，带领学生快速认读一遍本课生词；
- 使用生词卡片只有汉字的一面，带领学生再次认读本课生词；
- 请单个学生独自认读 2–3 个生词；
- 最后全体学生再快速认读一遍本课所有生词。

> 注意：
>
>   教师要引导学生注意双音节词语的声调模式，力求声调准确。要引导学生注意"杯子"、"多少"中轻声音节的发音。

（2）重点生词扩展及常用搭配

    喝—喝茶

      —你喝什么？—我喝茶。

    吃—吃饭—吃米饭—吃中国菜

      —你吃什么？—我吃米饭。

    下午—今天下午—昨天下午—明天下午

      ↔ 上午 ↔ 中午 ↔ 早上 ↔ 晚上

    商店—去商店

      —你去哪儿？我去商店。

    买—买杯子—买书

      —你买什么？—我买杯子。

    这—这是什么？—这是杯子。

      —这个杯子—这个人—这个学生—这个老师

    那—那是什么？—那是汉语书。

      —那个杯子—那个人—那个学生—那个老师

| 这 ＋ 量词 ＋ 名词 |

| 那 ＋ 量词 ＋ 名词 |

练习册相关练习：第49页／一／第一部分，第52页／二／第一部分

3 语言点

（1）能愿动词"想"

① 语言点解析

    能愿动词"想"一般用在动词前表示一种希望或者打算。否定形式是"不想"。

| 主语 ＋（不）想 ＋ 动词。 |

② 语言点导入

教师可利用本课热身图片 C、B、D 进行导入。

教师出示图片 C：

教师：老师想吃什么？

学生：老师想吃米饭。

教师：你想吃米饭吗？

学生：我想 / 不想吃米饭。

其他目标句：我想 / 不想喝茶。

我想 / 不想吃中国菜。

③ 语言点操练

教师可组织学生根据实际情况进行问答练习。

参考问题：今天中午你想吃什么？

你想喝什么？

今天下午你想去哪儿？

今天晚上你想做什么？

这个星期六你想做什么？

……

（2）疑问代词"多少"

① 语言点解析

疑问代词"多少"用于询问 10 以上的数量，"多少"后边的量词可以省略。"多少"还用于询问价格，常用表达方式是"……多少钱？"

② 语言点导入

教师出示一个例句：他们学校有 95 个学生。

教师：他们学校有多少个学生？

学生：他们学校有 95 个学生。

教师：我们学校有多少个学生？

学生：我们学校有……个学生。

教师：我们学校有多少个老师？

学生：我们学校有……个老师。

③ 语言点操练

教师可组织学生根据实际情况进行问答练习。

参考问题：你们班有多少个学生？

你们学校有多少中国学生？

你有多少本汉语书？

你会写多少个汉字？

……

注意：

教师要提示学生注意"几"和"多少"的区别："几"用于提问 10 以下的数量，"多少"用于提问 10 以上的数量；"几"后边的量词不能省略，而"多少"后边的量词可以省略。

（3）量词"个""口"

① 语言点解析

"个"是汉语中最常见的一个量词，一般用于没有专用量词的名词前。

"口"一般用于描述家庭成员的人数（见第 5 课）。

② 补充语言点练习

选词填空：个　口

我会写 30＿＿＿＿汉字。

我想买一＿＿＿＿杯子。

李月家有三＿＿＿＿人。

你们学校有多少＿＿＿＿学生？

你有几＿＿＿＿中国朋友？

（4）钱数的表达

① 语言点解析

人民币的基本单位是"元"，口语中一般用"块"。询问价格常用的表达方式是"……多少钱？"

② 语言点导入

教师可根据课本第 59 页的人民币图片进行导入，带领学生看图并朗读相应的钱数。

③ 语言点操练

教师可组织学生两人一组，请学生根据各自物品的实际价格进行问答练习。

A：这个……多少钱？

B：这个……块。

A：那个……多少钱？

B：那个……块。

4 课文

课文 1

（1）让学生听两遍录音并回答下列问题：

她想喝什么？

她想吃什么？

（2）根据学生的回答，教师领说目标句，并请学生单个复述：

她想喝茶，她想吃米饭。

（3）教师领读课文两遍，然后让学生分角色朗读课文。

（4）模仿练习

教师组织学生两人一组，根据提示进行对话练习。

A：你想吃什么？

B：我想吃……。

A：你想喝什么？

B：我想喝……。

bāozi	jiǎozi	miàntiáo	kāfēi	kělè	píjiǔ

补充词语：包子、饺子、面条、咖啡、可乐、啤酒（可制成图卡）

课文2

（1）让学生听两遍录音并回答下列问题：

下午她想去哪儿？

她想买什么？

（2）根据学生的回答，教师领说目标句，并请学生单个复述：

下午她想去商店，她想买一个杯子。

（3）教师领读课文两遍，然后让学生分角色朗读课文。

课文3

（1）让学生听两遍录音并回答下列问题：

他想买什么？

这个杯子多少钱？

那个杯子多少钱？

（2）根据学生的回答，教师领说目标句，并请学生单个复述：

他想买一个杯子。这个杯子28块，那个杯子18块。

（3）教师领读课文两遍，然后让学生分角色朗读课文。

（4）模仿练习

教师组织学生两人一组，根据提示进行对话练习。

A：你好！这个……多少钱？

B：……。

A：那个……多少钱？

B：……。

>   *běnzi*   *cídiǎn*   *shǒujī*
> 补充词语：本子、词典、手机（可制成图卡）

5 语音

双音节词语的声调搭配（3）：三声和各声调的搭配

教师可利用课本第60页的例词、声调模式和图片进行教学。教师分别朗读各声调组合的标准词，让学生一边看调型图一边跟读模仿，并根据图片理解词义。

之后教师可利用课本第60页的练习部分，组织学生进行朗读正音练习。朗读时教师要提醒学生注意各声调搭配的标准词的示范作用。

注意：

在两个三声音节的组合中，第一个三声要变调，读音近似第二声。在其余三个音节组合中，第三声的发音都是"半三声"，是一个近似于211的低降调，音节的后半部分不再升高。

练习册相关练习：第55页/三

6 汉字

① 知识点解析

独体字

少：意思是规模小，数量不多，与"多"相对。

个：本义是最小独立单位的人，指一个人。现在变为量词。

偏旁

钅：金字旁，一般和金属有关系。

口：口字旁，一般和嘴巴有关系。

② 汉字练习

- 教师板书或者用手指在空中书写本课独体字"少、个"，带领学生一起识记独体字的笔画笔顺。
- 教师板书本课偏旁"钅、口"，提示学生注意这两个偏旁的笔画和笔顺，并书写各自的代表汉字，帮助学生识记偏旁的意义。
- 教师通过板书例字，给学生展示汉字的两种合体结构：上下结构与上中下结构。
- 补充练习

  a. 给下列汉字分类

  是、茶、爸、高、怎、多、意

  上下结构：_____

  上中下结构：_____

  b. 辨认下列汉字

  不　　　吃　　　想
  杯　　　喝　　　怎

  练习册相关练习：第 56 页 / 四

7 补充课堂活动——排排队

教师准备一些词语卡片（只有汉字、没有拼音）分发给学生，并板书"吃、喝、买、去、说、写、看"等动词，要求学生把手中的词语卡片排列在可以搭配的动词后边，排列好后带领学生一起认读，判断正误。最后要求每个学生任选一个用"我想……"说句子。

> 建议词语：米饭、中国菜、茶、商店、杯子、汉语书、学校、
> 　　　　　朋友家、中国朋友、同学、老师、汉语、汉字

8 本课小结

- 语言点：能愿动词"想"

  　　　　疑问代词"多少"

  　　　　量词"个""口"

  　　　　……元 / 块

- 语　音：双音节词语的声调搭配（3）：三声和各声调的搭配

- 汉　字：独体字"少、个"

  　　　　偏旁"钅、口"

附注：建议教学用具

1. 生词卡片：第 7、8 课生词卡片

2. 独体字卡片：第 8 课独体字卡片

3. 补充词语图卡：食物、日常物品

4. 补充活动卡片：只有汉字没有拼音的词语卡片

一、教学内容和教学目标

重点词语	学生能够熟练掌握"小、那儿、椅子、下面、工作、儿子、医院、医生、爸爸"的词义和用法
语言点	学生能够了解并掌握： （1）动词"在" （2）疑问代词"哪儿" （3）介词"在" （4）疑问助词"呢"（2）：用于询问人或事物的位置
语音	学生熟悉双音节词语的四声音节和各声调搭配的声调模式，并能正确朗读
汉字	学生能够： （1）熟练认读本课生词 （2）独立书写独体字"在、子、工" （3）了解汉字的半包围结构 （4）了解"辶（走之旁）、门（门字框）"所表示的意思
功能	学生能够： （1）询问和表达人或者事物所处的位置 （2）询问和表达动作行为发生的位置和场所 （3）正确使用疑问助词"呢"询问人或事物的位置

二、教学步骤

一 复习旧课

1. 教师出示第8课生词卡片，要求学生快速认读下列生词。

想、喝、茶、吃、米饭、下午、商店、买、

个、杯子、这、多少、钱、块、那

2. 教师根据第8课重点内容简单提问，活跃课堂气氛。

（1）今天中午你想吃什么？　　　（4）你们班有多少学生？

（2）你想喝茶吗？　　　　　　　（5）你的汉语书多少钱？

（3）今天晚上你想做什么？　　　（6）你的杯子多少钱？

二 学习新课

1 热身

　　教师可依次出示热身部分的词语卡片，要求学生集体认读，然后请单个学生说出对应图片的编号，教师评判正误。最后全体学生再次齐读热身环节的所有词语，要求语音标准、声调准确。

　　答案：①F　②E　③D　④C　⑤A　⑥B

2 生词

（1）生词快速认读及正音

　　小、猫、在、那儿、狗、椅子、下面（下）、哪儿、

　　工作、儿子、医院、医生、爸爸

- 教师使用生词卡片有拼音和汉字的一面，带领学生快速认读一遍本课生词；
- 使用生词卡片只有汉字的一面，带领学生再次认读本课生词；
- 请单个学生独自认读 2–3 个生词；
- 最后全体学生再快速认读一遍本课所有生词。

> 注意：
> 　　教师要引导学生注意双音节词语的声调模式，力求声调准确。要引导学生注意"哪儿"、"那儿"声调的不同。

（2）重点生词扩展及常用搭配

　　小—小学生—小朋友—小商店—小杯子—小猫—小狗

　　那儿 ↔ 这儿 ↔ 哪儿

　　椅子—一把椅子

　　下面—椅子下面—书下面

　　工作—你的工作—我的工作—他的工作—李月的工作

　　　　—李月的工作是老师。

　　　　—不工作

　　　　—你妈妈工作吗？—我妈妈不工作。

　　儿子—一个儿子

　　　　—你儿子—他儿子—李老师的儿子

　　　　↔ 女儿

　　医院—去医院

　　　　—你去哪儿？—我去医院。

　　医生—是医生—他是医生—李老师的儿子是医生。

　　爸爸—你爸爸—我爸爸—他爸爸—我朋友的爸爸

　　　　—我朋友的爸爸是医生。

　　　　↔ 妈妈

　　练习册相关练习：第57页／一／第一部分，第60页／二／第一部分

3 **语言点**

（1）动词"在"

（2）疑问代词"哪儿"

① 语言点解析

　　"在"可以是动词，后边加上表示位置的词语做句子的谓语，用于指示人或者事物的位置。其否定形式是"不在"。

> 主语 +（不）在 + 地点 / 方位词语。

　　"哪儿"是疑问代词，用于疑问句中，询问人或事物的位置。

> 主语 + 在 + 哪儿？

② 语言点导入

　　教师可利用教室里的实物或者图片进行导入，比如教师可以将自己的汉语书放在杯子下边，对这个情景提问。

教师：这是什么？	其他目标句：小狗在椅子下面。
学生：这是汉语书。	李老师在学校。
教师：汉语书在哪儿？	大卫在中国朋友家。
学生：汉语书在杯子下面。	他是医生，他在医院。

③ 语言点操练

教师可组织学生根据实际情况进行问答练习。

参考问题：你有小狗吗？它在哪儿？

　　　　　你的汉语书在哪儿？

　　　　　你的杯子在哪儿？

　　　　　你爸爸 / 妈妈在哪儿？

　　　　　你的汉语老师在哪儿？

　　　　　你的中国朋友在哪儿？

（3）介词"在"

① 语言点解析

"在"也可以是介词，后边加上表示位置的词语，用于介绍动作行为发生的位置。

> 主语 + 在 + 地点 / 方位词语 + 动词。

② 语言点导入

教师可利用本课热身图片 E、D 进行导入。

教师：她是谁？	其他目标句：老师在学校工作。
学生：她是医生。	大卫在北京学习汉语。
教师：这是什么地方？	我在中国朋友家吃中国菜。
学生：这是医院。	
教师：医生在哪儿工作？	
学生：医生在医院工作。	

③ 语言点操练

教师可组织学生根据实际情况进行问答练习。

参考问题：你在哪儿学习汉语？

你在哪儿吃午饭？

你在哪儿看书？

你爸爸在哪儿工作？

你妈妈在哪儿工作？

（4）疑问助词"呢"（2）

① 语言点解析

疑问助词"呢"用在句末，表示疑问，可以用于询问人或者事物的位置。

> 主语＋在＋哪儿＋呢？

上面这个句型中，"呢"也可以直接用在主语后，询问位置。

> 主语＋呢？

② 语言点操练

教师可组织学生根据实际情况进行问答练习。

参考问题：你朋友在哪儿呢？

昨天下午你在哪儿呢？

昨天晚上你在哪儿呢？

他的小狗呢？

你的汉语书呢？

你的杯子呢？

4 课文

课文 1

（1）让学生听两遍录音并回答下列问题：

小猫在哪儿？

小狗在哪儿？

（2）根据学生的回答，教师领说目标句，并请学生单个复述：

小猫在那儿。小狗在椅子下面。

（3）教师领读课文两遍，然后让学生分角色朗读课文。

（4）模仿练习

教师组织学生两人一组，根据提示进行对话练习。

A：我的杯子在哪儿？

B：你的杯子在……。

A：我的汉语书在哪儿？

B：你的汉语书在……。

> shūbāo   bǐ   shǒujī   yǎnjìng   qiánbāo   zìxíngchē
> 补充词语：书包、笔、手机、眼镜、钱包、自行车（可制成图卡）

课文 2

（1）让学生听两遍录音并回答下列问题：

他在哪儿工作？

他儿子也在学校工作吗？

他儿子在哪儿工作？

（2）根据学生的回答，教师领说目标句，并请学生单个复述：

他在学校工作，他儿子不在学校工作。他儿子在医院工作，他是医生。

（3）教师领读课文两遍，然后让学生分角色朗读课文。

（4）模仿练习

教师组织学生两人一组，根据提示进行对话练习。

A：你爸爸在哪儿工作？

B：我爸爸在……工作。

A：你妈妈在哪儿工作？

B：我妈妈在……工作。

A：你工作吗？

B：我不……，我是……。

课文 3

（1）让学生听两遍录音并回答下列问题：

她爸爸在家吗？

她爸爸在哪儿？

（2）根据学生的回答，教师领说目标句，并请学生单个复述：

她爸爸不在家，在医院。

（3）教师领读课文两遍，然后让学生分角色朗读课文。

（4）模仿练习

教师组织学生两人一组，根据提示模拟打电话。

A：你好，请问……（名字）在家吗？

B：……（名字）不在家。

A：他／她在哪儿呢？

B：他／她在……。（地方）

A：谢谢。

B：不客气。

5 **语音**

双音节词语的声调搭配（4）：四声和各声调的搭配

教师可利用课本第 68 页的例词、声调模式和图片进行教学。教师分别朗读各声调组合的标准词，让学生一边看调型图一边跟读模仿，并根据图片理解词义。

之后教师可利用课本第 68 页的练习部分，组织学生进行朗读正音练习。朗读时教师要提醒学生注意各声调搭配的标准词的示范作用。

> 注意：
>
> 　　在两个四声音节相连的双音节词语中，第二个四声音节的音高起始点要比第一个四声音节的音高起始点稍低。

练习册相关练习：第 63 页 / 三

6 **汉字**

① 知识点解析

　独体字

在：字形像草木初生于土上，现在意思是"存活、存在"。

子：本义是婴儿，现在意思很多，如"儿子""电子"。

工：字形像工匠的曲尺，现在意思很多，如"工人""工作"。

　偏旁

辶：走之旁，一般和走路有关系。

门：门字框，一般和房间、房门有关。

② 汉字练习

- 教师板书或者用手指在空中书写本课独体字"在、子、工"，带领学生一起识记独体字的笔画笔顺。
- 教师板书本课偏旁"辶、门"，提示学生注意这两个偏旁的笔画和笔顺，并书写各自的代表汉字，帮助学生识记偏旁的意义。
- 教师通过板书例字，给学生展示汉字的另一种合体结构：半包围结构。
- 补充练习

辨认下列汉字并组词

　子（　　　　）　　　哪（　　　　）　　　朋（　　　　）
　字（　　　　）　　　那（　　　　）　　　明（　　　　）

练习册相关练习：第 64 页 / 四

7 **补充课堂活动——他 / 她在哪儿工作**

教师可准备一些不同职业的人物图片，如老师、医生、售货员、银行职员等，请学生两人一组，交替做出不同职业人物的典型动作，并对图片内容进行描述。

例如：他是售货员，他在商店工作。

> 　　　　　　shòuhuòyuán　yínháng zhíyuán
> 补充词语：售货员、 银行 职员、……

8 **本课小结**

- 语言点：动词"在"（在 + 地点 / 方位词语）
      疑问代词"哪儿"
      介词"在"（在 + 地点 / 方位词语 + 动词）
      疑问助词"呢"询问位置
- 语　音：双音节词语的声调搭配（4）：四声和各声调的搭配
- 汉　字：独体字"在、子、工"
      偏旁"辶、门"

附注：建议教学用具

1. 生词卡片：第 8、9 课生词卡片

2. 独体字卡片：第 9 课独体字卡片

3. 补充词语图卡：日常物品

4. 补充活动图片：职业人物

10 我能坐这儿吗

一、教学内容和教学目标

重点词语	学生能够熟练掌握"电脑、本、里、前面、后面、这儿、没有、坐"的词义和用法
语言点	学生能够了解并掌握： （1）"有"字句：表示存在 （2）连词"和" （3）能愿动词"能" （4）用"请"的祈使句
语音	学生能够： （1）熟悉含有轻声音节的双音节词语的声调模式 （2）正确朗读叠音词 （3）正确朗读带后缀的词语
汉字	学生能够： （1）熟练认读本课生词 （2）独立书写独体字"上、下、本、末" （3）了解汉字的全包围结构 （4）了解"囗（国字框）、礻（示字旁）"所表示的意思
功能	学生能够： （1）询问和表达某个处所存在什么人或者事物 （2）表达几个并列关系的人或者事物 （3）委婉地表达请求或者询问许可

二、教学步骤

一 复习旧课

1.教师出示第9课生词卡片，要求学生快速认读下列生词。

　　小、猫、在、那儿、狗、椅子、下面（下）、哪儿、

　　工作、儿子、医院、医生、爸爸

2.教师根据第9课重点内容简单提问，活跃课堂气氛。

　　（1）你有小猫 / 小狗吗？　　　　（4）你的杯子在哪儿？

　　（2）你的小猫 / 小狗在哪儿？　　（5）你爸爸在哪儿工作？

　　（3）你的汉语书在哪儿？　　　　（6）你妈妈在哪儿工作？

二 学习新课

1 热身

教师可依次出示热身部分的词语卡片，要求学生集体认读并请单个学生说出对应图片的编号，教师评判正误。最后全体学生再次齐读热身环节的所有词语，要求语音标准、声调准确。

答案：①F　②C　③B　④A　⑤D　⑥E

2 生词

（1）生词快速认读及正音

桌子、上、电脑、和、本、里、前面、后面、
这儿、没有（没）、能、坐、王方、谢朋

- 教师使用生词卡片有拼音和汉字的一面，带领学生快速认读一遍本课生词；
- 使用生词卡片只有汉字的一面，带领学生再次认读本课生词；
- 请单个学生独自认读 2–3 个生词；
- 最后全体学生再快速认读一遍本课所有生词。

（2）重点生词扩展及常用搭配

电脑——一个电脑

本——一本书——一本汉语书——两本汉语书

　——你想买什么？——我想买一本汉语书。

里——家里——学校里——医院里——桌子里——电脑里

前面——在前面——我前面——他在我前面。

　　——前面的人——前面那个人——前面那个人是李老师。

后面——在后面——我后面——他在我后面。

　　——后面的人——后面那个人——后面那个人是我朋友。

这儿——我的书在哪儿？——你的书在这儿。

　　↔那儿↔哪儿

没有——没有汉语书——我没有汉语书。

　　——没有中国朋友——他没有中国朋友。

　　——没有人——这儿没有人。

坐——请坐——请坐这儿

练习册相关练习：第65页/一/第一部分，第68页/二/第一部分

3 语言点

（1）"有"字句：表示存在

① 语言点解析

动词"有"可以用于表示存在的句子中，表示某个处所或者位置存在什么。其否定形式是"没有"。

地点/处所词语＋（没）有＋名词。

② 语言点导入

  教师可利用教室里的实物或者图片进行导入，比如教师在桌子上放一个杯子，对这个情景提问。

教师：这是什么？

学生：这是桌子。

教师：这是什么？

学生：杯子。

教师：桌子上有什么？

学生：桌子上有一个杯子。

教师：桌子上有电脑吗？

学生：桌子上没有电脑。

其他目标句：桌子上有一本汉语书。

     桌子上有一个手机。

     学校里有一个商店。

     椅子下面有一只小狗。

③ 语言点操练

  教师可组织学生根据实际情况进行问答练习。

  参考问题：你的桌子上有什么？

      你的桌子上有电脑吗？

      你的椅子下面有什么？

      学校里有商店吗？

      商店里有什么？

> 注意：
>
>   "有"字句的肯定形式中，名词前常常有一个量词，比如"桌子上有一本书。"而在否定句和疑问句中则不能保留量词，要说"桌子上没有书。""桌子上有书吗？"

（2）连词"和"

① 语言点解析

连词"和"用于连接两个或者两个以上并列的成分，表示一种并列关系。

> A 和 B

> A、B 和 C

② 语言点导入

教师可利用本课热身图片 E 进行导入。

  教师：他家有几口人？

  学生：他家有三口人。

  教师：他们是谁？

  学生：爸爸、妈妈和他。

③ 语言点操练

教师可组织学生根据实际情况进行问答练习。

  参考问题：你的桌子上有什么？

      你有几个中国朋友？你有几个美国朋友？

      你家有几口人？

> 注意：
> - 教师应提醒学生注意，汉语中的连词"和"跟英语的"and"不同，"和"一般只用于连接词和短语，不能用于连接分句，要避免学生说出"我爸爸是医生，和我妈妈是老师。"这样的句子。
> - "和"连接两个以上并列成分时，位置应在最后两项并列成分之间，其他各项之间不用。

（3）能愿动词"能"

① 语言点解析

　　能愿动词"能"一般用在动词前，与动词整体做谓语，表示一种能力或者可能。其否定形式是"不能"。"能"还常用于疑问句式"能……吗？"中，表示请求、希望获得许可。

> 主语＋（不）能＋动词。

> 主语＋能＋动词＋吗？

② 语言点导入及操练

教师可通过情景提示，引导学生使用目标句型。

教师：你的朋友有一本汉语书，你想看，你应该说什么？

学生：我能看你的汉语书吗？

教师：这儿有一把椅子，你想坐，你应该说什么？

学生：我能坐这儿吗？

教师：今天大卫不工作，他能……

学生：他能去商店／能去朋友家／……

教师：今天大卫在医院，他病了，他不能……

学生：他不能工作／不能学习／……

③ 语言点扩展练习

　　教师可组织学生两人一组，根据情景提示进行对话表演。（情景描述可翻译成学生母语）

参考情景：

　　A 和 B 商量什么时候能一起去买东西

　　A 在食堂找座位

　　A 想借 B 的词典

（4）用"请"的祈使句

① 语言点解析

动词"请"后加其他动词可以构成一种祈使句，委婉地表示建议、希望对方做某事。

> 请＋动词。

② 语言点导入及操练

教师可通过出示一些图片，利用图片提示的情景引导学生说出用"请"的祈使句。

教师：我能坐这儿吗？

学生：请坐。

教师：这是什么？

学生：这是茶，请喝茶。

教师：我在哪儿写名字？

学生：请在这儿写您的名字。

4 课文

课文 1

（1）让学生听两遍录音并回答下列问题：

桌子上有什么？

桌子上有杯子吗？

杯子在哪儿？

（2）根据学生的回答，教师领说变为叙述体的课文，并请学生单个复述：

桌子上有一个电脑和一本书。桌子上没有杯子。杯子在桌子里。

（3）教师领读课文两遍，然后让学生分角色朗读课文。

（4）模仿练习

教师可组织学生两人一组，根据提示进行对话练习。

A：你的桌子上有什么？

B：我的桌子上有……。

A：你的……在哪儿？

B：我的……在……。

课文 2

（1）让学生听两遍录音并回答下列问题：

这儿有几个人？

前面的人叫什么名字？在哪儿工作？

后面的人叫什么名字？在哪儿工作？

（2）根据学生的回答，教师领说变为叙述体的课文，并请学生单个复述：

这儿有两个人。前面那个人叫王方，在医院工作。后面那个人叫谢朋，在商店工作。

（3）教师领读课文两遍，然后让学生分角色朗读课文。

课文 3

（1）教师出示课文图片，要求学生听两遍录音并回答下列问题：

他们在哪儿？

他想做什么？

他能坐这儿吗？

（2）教师领读课文两遍，然后让学生分角色朗读课文。

（3）模仿练习

教师组织学生两人一组，根据提示进行对话练习。

A：你好，请问这儿有人吗？

B：对不起，这儿……。

A：那儿有人吗？

B：……。

A：我能……吗？

B：好的，请……。

5 语音

（1）轻声音节的读法

含有轻声音节的双音节词语是现代汉语双音节词语的重要组成部分，其声调模式是双音节词语语音教学的重点和难点。

在双音节词语中，轻声音节的实际发音是由前一个音节的音高决定的。一般来说在第一声、第二声、第四声音节后面读的调子比前一个音节低一些，而第三声音节后面的轻声比前面的音节高一些。

教师可利用课本第 76 页的例词、声调模式图引导学生体会轻声音节音高与前边音节的关系。同时引导学生识记各声调模式标准词的调型，把它作为以后发相同声调模式的其他词语时的发音范本。

（2）叠音词和带后缀词的读法

双音节的叠音词和带后缀词中的后一个字一般也读作轻声。教师可领读课本第 77 页两个练习的第一列词语，让学生自己找出发音规律。

之后教师利用课本第 77 页叠音词、带后缀词练习的剩余部分，组织学生进行朗读正音练习。朗读时教师要提醒学生注意各声调搭配的标准词的示范作用。

练习册相关练习：第 71 页 / 三

6 汉字

① 知识点解析

独体字

上：下边的横表示位置的界线，上边的短横表示在上面。意思是"高处、上面"。

下：与"上"的意思相对，指位置在低处、下面。

本：最初的字形是在"木"的下端加圆点指示符号，本义是指树的根部，后引申为事物的根本。

末：最初的字形是在"木"的上端加圆点指示符号，本义是树梢部位、尖端，现在也指非根本的、次要的。

偏旁

囗：国字框，一般表示被困住、包围住。

礻：示字旁，是"示"的变体，一般和神、祭祀、福祸有关。

② 汉字练习
- 教师板书或者用手指在空中书写本课独体字"上、下、本、末",带领学生一起识记独体字的笔画笔顺。
- 教师板书本课偏旁"口、衤",提示学生注意这两个偏旁的笔画和笔顺,并书写各自的代表汉字,帮助学生识记该偏旁的意义。
- 教师通过板书例字,给学生展示汉字的另一种合体结构:全包围结构。
- 补充练习
  辨认下列汉字并组词

  上(　　　)　　　　　前(　　　)
  下(　　　)　　　　　后(　　　)

  桌(　　　)　　　　　杯(　　　)
  电(　　　)　　　　　校(　　　)

  练习册相关练习:第72页/四

7 补充课堂活动——我的房间

教师可出示一张房间内部的图片,图片上标注桌子、椅子、电脑、床、柜子、书架等物品。教师先带领学生熟悉词语,然后请学生2-3人一组介绍自己的房间。

例如:我的房间里有……。我的房间里没有……。

> 　　　　　　　chuáng guìzi shūjià
> 补充词语:床、柜子、书架、……

8 本课小结
- 语言点:"有"字句表示存在
  连词"和"
  能愿动词"能"表示能力或可能
  用"请"的祈使句
- 语　音:含有轻声音节的双音节词语的声调搭配
  叠音词和带后缀词的读法
- 汉　字:独体字"上、下、本、末"
  偏旁"口、衤"

附注:建议教学用具

1.生词卡片:第9、10课生词卡片

2.独体字卡片:第10课独体字卡片

3.情景图片:坐、喝茶、写名字

4.补充活动图片:房间

文化：中国人姓名的特点

1 文化点解析

① 中国人姓名的顺序是"姓氏 + 名字"，姓在前、名在后。

② 中国人的姓氏分为单姓和复姓两种，单姓如"张、王、李、赵"等，复姓如"欧阳、上官、诸葛"等。

③ 在称呼时，可以在一个人的姓氏后加上他 / 她的工作或者职业，如"王老师"、"李医生"等。

2 文化点参考处理方式

- 教师可给出一组中国人的姓名，请学生划分姓氏和名字。如：

张小明　　李月　　王方　　谢朋　　诸葛亮　　欧阳兰兰

- 教师可出示一组不同职业的人物图片，如教师、医生、律师等，并分别给每个人物一个姓氏，请学生说出如何正确称呼图片中的人物。

11　现在几点

一、教学内容和教学目标

重点词语	学生能够熟练掌握"中午、吃饭、时候、回、我们、电影、住"的词义和用法
语言点	学生能够了解并掌握： （1）时间的表达：……点……分 （2）时间词做状语 （3）名词"前"：表示现在或者所说的某个时间以前的时间
语音	学生能够理解汉语轻声的功能，理解有无轻声音节时词义的区别，并能正确朗读
汉字	学生能够： （1）熟练认读本课生词 （2）独立书写独体字"午、电" （3）了解"阝（耳刀旁）、亻（单人旁）"所表示的意思
功能	学生能够： （1）描述具体的时间点 （2）询问和回答某个动作行为发生的时间 （3）描述现在或者所说的某个时间以前的时间

二、教学步骤

一　复习旧课

1. 教师出示第 10 课生词卡片，要求学生快速认读下列生词。

　　桌子、上、电脑、和、本、里、前面、后面、
　　这儿、没有（没）、能、坐、王方、谢朋

2. 教师根据第 10 课重点内容简单提问，活跃课堂气氛。

（1）老师的桌子上有什么？你的桌子上呢？　　（4）你前面的人是谁？

（2）你有汉语书吗？你的书在哪儿？　　　　　（5）你后面的人是谁？

（3）你有电脑吗？你的电脑在哪儿？　　　　　（6）谁在你的左边 / 右边？

二　学习新课

1 **热身**

　　　教师板书热身部分给出的时间，请学生分别说出每个时间对应的图片，然后教师评判正误。

　　　答案：①D　②B　③F　④A　⑤C　⑥E　⑦G

2 **生词**

（1）生词快速认读及正音

　　　现在、点、分、中午、吃饭、时候、回、

　　　我们、电影、住、前、北京

- 教师使用生词卡片有拼音和汉字的一面，带领学生快速认读一遍本课生词；
- 使用生词卡片只有汉字的一面，带领学生再次认读本课生词；
- 请单个学生独自认读 2–3 个生词；
- 最后全体学生再快速认读一遍本课所有生词。

> 注意：
> 　　教师应提示学生注意"时候、我们"中轻声音节的声调，以及"我们"中的"我"应该读为半三声。

（2）重点生词扩展及常用搭配

　　　中午—今天中午—明天中午—昨天中午

　　　　　↔ 下午 ↔ 早上 ↔ 晚上

　　　吃饭—吃早饭—吃午饭—吃晚饭

　　　　　—在家吃饭—在学校吃饭—在朋友家吃饭—在哪儿吃饭

　　　时候—什么时候—什么时候吃饭—什么时候学习—什么时候工作

　　　回—回家—回学校—回宿舍

　　　我们 ↔ 你们 ↔ 他们 ↔ 她们

　　　电影—看电影—看中国电影

　　　　　↔ 电视 ↔ 电话 ↔ 电脑

　　　住—在哪儿住—在学校住—在北京住

　　　　　—住几天—住三天—住一个星期

　　　练习册相关练习：第 73 页 / 一 / 第一部分，第 76 页 / 二 / 第一部分

3 **语言点**

（1）时间的表达

①　语言点解析

　　　汉语表达时间点的时候遵循由大到小的顺序。"点"用来表示整点；不是整点时要用到"分"。

> ……点

> ……点……分

如果需要区分上午和下午，一般格式为：

> 上午……点（……分）

> 下午……点（……分）

② 语言点导入

教师可利用本课热身部分的钟表图片进行导入。教师出示图片，带领学生一起说时间。

5:00	五点	3:05	三点零五（分）
2:00	两点	6:30	六点三十（分）
9:45	九点四十五（分）	10:10	十点十分
12:00	十二点		

③ 语言点操练

教师出示阿拉伯数字表示的时间，请学生说出相应的汉语表达。

8:00	八点	7:30	七点三十（分）
9:03	九点零三（分）	4:56	四点五十六（分）
11:00	十一点	10:20 am	上午十点二十（分）
12:15	十二点十五（分）	3:18 pm	下午三点十八（分）

最后组织学生根据实际情况回答问题：现在几点？

注意

- 在表示 2:00 时，我们要说"两点"，不能说"二点"。
- 在表示"分"小于 10 的时间时，"点"和"分"之间一般要加上"零"，如"2:05"应读作"两点零五（分）"。如果不加"零"，最后的"分"不能省略，如"2:05"还可以说"两点五分"。如果刚好是"10 分"，这时最后的"分"也不能省略，如"10:10"要说"十点十分"。

（2）时间词做状语

① 语言点解析

时间词在句子中可以做状语，表示动作行为发生的时间。时间词经常出现在主语后边，有时候也可以放在主语前边。

> 主语＋时间词＋动词。　　时间词＋主语＋动词。

疑问形式是：

> 主语＋几点／什么时候＋动词？

② 语言点导入

教师板书一个时间"11:30"，然后出示一张一个人在睡觉的情景图片。

教师：他做什么？

学生：睡觉。

教师：几点？

学生：十一点半。

教师：他几点睡觉？

学生：他十一点半睡觉。

③ 语言点操练

　　教师给出做饭、吃饭、去学校、去商店的情景图片，并给出相应的用阿拉伯数字表示的时间，组织学生进行问答练习。例如：

教师：他几点做饭？　　　　　　　其他目标句：他……点吃饭。

学生：他……点做饭。　　　　　　　　　　　　　他……点去学校。

　　　　　　　　　　　　　　　　　　　　　　　他……点去商店。

④ 语言点扩展练习

教师可组织学生两人一组，根据提示进行对话练习。

A：你几点 / 什么时候……？

B：……

去学校	学习汉语	去超市
去买书	回家	去吃中国菜
去看朋友	去北京	……

注意：

　　教师要提示学生注意时间词在句子中的位置：时间词可以出现在主语的后边或者前边，但是一定要放在动词的前边。"我吃饭中午十二点"这样的句子是错误的。

（3）名词"前"

① 语言点解析

名词"前"可以表示现在或者所说的某个时间以前的时间。

什么时候 / 多长时间＋前

② 语言点导入

教师：你什么时候回家？

学生：我……（几点）前回家。

教师：你什么时候睡觉？

学生：我……（几点）前睡觉。

③ 语言点操练

教师可组织学生根据实际情况进行问答练习。

目标句：我早上七点前起床。

　　　　李老师早上七点前去工作。

　　　　老师今年 8 月前回中国。

④ 语言点扩展练习

教师可组织学生两人一组，根据实际情况进行对话练习。

A：你什么时候……？

B：……

吃早饭	吃午饭	吃晚饭
睡觉	去学校	回家
……		

4 课文

课文 1

（1）让学生听两遍录音并回答下列问题：

现在几点？

他们中午几点吃饭？

（2）根据学生的回答，教师领说变为叙述体的课文，并请学生单个复述：

现在十点十分，他们中午十二点吃饭。

（3）教师领读课文两遍，然后让学生分角色朗读课文。

课文 2

（1）让学生听两遍录音并回答下列问题：

爸爸在家吗？

爸爸什么时候回家？

他们什么时候去看电影？

（2）根据学生的回答，教师领说变为叙述体的课文，并请学生单个复述：

爸爸不在家，他下午五点回来。他们下午六点三十分去看电影。

（3）教师领读课文两遍，然后让学生分角色朗读课文。

（4）模仿练习

教师组织学生两人一组，根据提示进行对话练习。

A：……什么时候回来？

B：……。

A：我们什么时候去……？

B：……。

课文 3

（1）让学生听两遍录音并回答下列问题：

他什么时候去北京？

他想在北京住几天？

他什么时候能回家？

（2）根据学生的回答，教师领说变为叙述体的课文，并请学生单个复述：

他星期一去北京，他想在北京住三天。他星期五前能回家。

（3）教师领读课文两遍，然后让学生分角色朗读课文。

5 语音

轻声的功能

汉语中轻声不仅是一种音变现象，而且还能区分词义。有的词语中的音节，是否读作轻声意义完全不同。例如"地道"一词，读作"dìdào"时意思是"地下通道"；而如果读作含有轻声音节的"dìdao"时，意思则是"真正的，纯粹的，有名的产地出产的"。

教师可领读课本第 86 页的三个例词，并提示学生注意有无轻声音节时词义的区别。还可让学生课下利用词典或上网搜索，每人再找 1–2 个汉语中读轻声和不读轻声意思不同的例子。

练习册相关练习：第 79 页/三

6 汉字

① 知识点解析

> 独体字

午：表示一天中白天大约十一点到十三点的一段时间。

电：本义是下雨时天上出现的锋利多齿的闪光，是一种物理现象，也是一种能源。

> 偏旁

阝：耳刀旁，一般跟地形、位置有关系。

亻：单人旁，一般和人有关系。

② 汉字练习

- 教师板书或者用手指在空中书写本课独体字"午、电"，带领学生一起识记独体字的笔画笔顺。
- 教师板书本课偏旁"阝、亻"，提示学生注意这两个偏旁的笔画和笔顺，并书写各自的代表汉字，帮助学生识记该偏旁的意义。
- 补充练习

  辨认下列汉字并组词

他（　　　）	回（　　　）
住（　　　）	电（　　　）
午（　　　）	明（　　　）
天（　　　）	时（　　　）

  练习册相关练习：第 80 页/四

7 补充课堂活动——听一听，排一排

教师编写一些时间词做状语的句子，并把这些句子拆分后写在卡片上（每个句子的主语部分、时间词做状语部分、谓语部分分别写在三张卡片上），然后打乱顺序。可把全班学生分为三组，分别持有主语部分、时间词做状语部分、谓语部分的卡片。教师朗读句子，让学生根据老师所读的句子把卡片排列在黑板上，最后老师带领学生一起判断正误并朗读句子。

例如：教师朗读"1. 我和大卫明天早上八点去学校。"三组学生把卡片排列到黑板上。

| 我和大卫 | 明天早上八点 | 去学校 |

8 **本课小结**
- 语言点：时间的表达：……点……分
  时间词做状语
  "……前"表示时间
- 语　音：轻声的功能
- 汉　字：独体字"午、电"
  偏旁"阝、亻"

附注：建议教学用具

1. 生词卡片：第10、11课生词卡片

2. 独体字卡片：第11课独体字卡片

3. 图片：睡觉、做饭、吃饭、去学校、去商店

4. 补充活动卡片：主语、时间词做状语、谓语

　　如：

我和大卫

12 明天天气怎么样

一、教学内容和教学目标

重点词语	学生能够熟练掌握"天气、热、冷、下雨、来、身体、爱、些、水果、水"的词义和用法
语言点	学生能够了解并掌握： （1）疑问代词"怎么样" （2）主谓谓语句 （3）程度副词"太" （4）能愿动词"会"（2）：表示所说的情况有可能实现
语音	学生熟悉一声音节开头的三音节词语的声调模式，并能正确朗读
汉字	学生能够： （1）熟练认读本课生词 （2）独立书写独体字"天、气、雨" （3）了解"女（女字旁）、饣（食字旁）"所表示的意思
功能	学生能够： （1）询问和回答人或者事物的性质状态 （2）询问和描述人或者事物某一方面的情况 （3）表达程度较深的意义 （4）表达所说的情况有可能实现

二、教学步骤

一 复习旧课

1.教师出示第11课生词卡片，要求学生快速认读下列生词。

现在、点、分、中午、吃饭、时候、回、

我们、电影、住、前、北京

2.教师根据第11课重点内容简单提问，活跃课堂气氛。

（1）现在几点？

（2）你早上几点吃早饭？

（3）你中午几点吃午饭？

（4）你妈妈什么时候去工作？

（5）你什么时候去跟朋友喝咖啡？

二 学习新课

1 热身

　　教师可依次指示热身部分的图片，要求学生集体或单个说出图片对应的词语，教师评判正误，并注意纠正学生的发音错误。最后全体学生再次齐读热身环节的所有词语，要求语音标准、声调准确。

　　答案：①C　②D　③B　④A　⑤F　⑥E

2 生词

（1）生词快速认读及正音

　　天气、怎么样、太……了、热、冷、下雨、

　　小姐、来、身体、爱、些、水果、水

- 教师使用生词卡片有拼音和汉字的一面，带领学生快速认读一遍本课生词；
- 使用生词卡片只有汉字的一面，带领学生再次认读本课生词；
- 请单个学生独自认读 2–3 个生词；
- 最后全体学生再快速认读一遍本课所有生词。

> 注意：
> 　　本课生词中应注意"热"，提示学生注意声母"r"的发音；注意"小姐、水果"的三声变调；"下雨"的"雨"注意"ü"的发音。

（2）重点生词扩展及常用搭配

　　天气—北京的天气—上海的天气—美国的天气

　　　　—今天的天气—明天的天气—昨天的天气

　　　　—天气很好—天气不好

　　热—天气很热—天气不热

　　　—热茶—热咖啡—热米饭—热菜

　　冷—天气很冷—天气不冷

　　　—不冷不热

　　下雨—下雨了—外面下雨了。

　　　　—昨天下雨了—昨天北京下雨了。

　　来—来我家—来我家喝茶

　　　—来学校—来学校学习汉语—我们来学校学习汉语。

　　　　　—来学校工作—老师来学校工作。

　　　—不来—不来学校—他今天不来学校。

　　身体—身体好吗？—身体好不好？—身体怎么样？

　　　　—身体很好—身体不好

　　爱—爱喝茶—爱喝咖啡—爱吃中国菜—爱学习

　　　—不爱喝水—不爱吃饭—不爱学习

　　　　　　　　　　　　　　　　　　（不）爱＋动词

　　些—一些—这些—那些—哪些

　　　—一些水果—一些朋友—一些学校

　　　　　　　　　　　　　　　　　一些／这些／那些／哪些＋名词

水果—吃水果—爱吃水果

　　—什么水果—这是什么水果？ —你爱吃什么水果？

水—喝水—多喝水

练习册相关练习：第81页／一／第一部分，第84页／二／第二部分

3 语言点

（1）疑问代词"怎么样"

① 语言点解析

疑问代词"怎么样"用来询问状况，用于疑问句句尾。

> ……怎么样？

② 语言点导入

教师：你想知道他的汉语好不好，你应该问……

学生：他的汉语怎么样？

教师：你想问北京的天气好不好，你应该问……

学生：北京的天气怎么样？

③ 语言点操练

教师可组织学生两人一组，根据提示进行对话练习。

A：……怎么样？

B：……。

你的汉语	你的汉字	你们学校
这个菜	那个电影	这本书
……		

（2）主谓谓语句

① 语言点解析

　　主谓谓语句是汉语中一种重要的句型结构。主谓谓语句中的谓语是一个主谓结构的短语，该主谓结构的主语一般是全句主语的某一部分、某一方面或者跟它相关。主谓谓语句一般用来描述人或者事物某一方面的性质或状态，一般可以用"……怎么样？"来提问。

> 全句主语＋全句谓语（主语＋谓语）

② 语言点导入

教师出示一张一个人身体不舒服的图片。

教师：他怎么样？

学生：他不太好。

教师：他什么不太好？

学生：身体。

教师：对，他身体不太好。

③ 语言点操练

  教师可组织学生根据实际情况进行问答练习。

  目标句：我身体很好。

      我爸爸妈妈身体也很好。

      今天天气不太好。

      昨天天气很热。

      他工作很忙。

> 注意：
>
>   教师提示学生注意"今天的天气很好。"和"今天天气很好。"这两个句子的异同。前者是主谓句，后者是主谓谓语句，二者的语法结构不同，但是句子的意义是一致的。

（3）程度副词"太"

① 语言点解析

  副词"太"用在形容词前，表示程度深。用"太"的句尾常带"了"，否定句不用"了"，其否定形式为"不太"。

> 太＋形容词＋了

> 不太＋形容词

② 语言点导入

  教师可利用本课热身图片 C、D 进行导入。

教师：今天天气怎么样？	目标句：今天天气太冷了。/
学生：很冷。/ 很热。	今天天气太热了。
教师：对，也可以说"太冷了 /	教师：昨天天气冷吗？
太热了"。	学生：昨天天气不太冷。

③ 语言点操练

  教师可组织学生根据实际情况进行问答练习。

  目标句：北京的冬天太冷了。

      中国菜太好吃了。

      这本书太好看了。

      大卫的汉字不太好。

      ……

（4）能愿动词"会"（2）

① 语言点解析

  "会"在句中和后边的动词一起构成句子的谓语部分，表示所说的情况有可能实现，其否定形式是"不会"。

> 主语＋（不）会＋动词。

② 语言点导入

教师可分别出示阴天和晴天的图片，引导学生用新的语言点进行描述。

教师：你觉得今天下雨吗？

学生：下雨。

教师：对，今天会下雨。

你觉得明天下雨吗？

学生：明天不会下雨。

③ 语言点操练

教师提供情景，请学生把句子补充完整。

今天天气很好，下午……。

……，下午会下雨。

爸爸这个星期去北京，……。

他今天身体不好，……。

……，他今天不会来学校。

4 课文

课文 1

（1）让学生听两遍录音并回答下列问题：

昨天北京的天气怎么样？

明天天气好不好？

明天热吗？

（2）根据学生的回答，教师领说变为叙述体的课文，并请学生单个复述：

昨天北京的天气太热了。明天北京天气很好，不冷不热。

（3）教师领读课文两遍，然后让学生分角色朗读课文。

课文 2

（1）让学生听两遍录音并回答下列问题：

今天有雨吗？

王小姐今天会不会来？为什么？

（2）根据学生的回答，教师领说变为叙述体的课文，并请学生单个复述：

今天不会下雨。今天天气太冷了，王小姐不会来。

（3）教师领读课文两遍，然后让学生分角色朗读课文。

课文 3

（1）让学生听两遍录音并回答下列问题：

他身体怎么样？

他为什么不爱吃饭？

医生让他多吃什么？多喝什么？

（2）教师领读课文两遍，然后让学生分角色朗读课文。

（3）模仿练习

教师组织学生两人一组，根据提示进行对话练习。

A：你身体……？

B：我……。天气太……了，我不爱……。

A：你多……，多……。

B：谢谢你，……。

5 语音

三音节词语的声调搭配（1）：一声音节开头

三个音节相连的读法，一般是第三个音节保持原调值，前两个音节的声调模式与双音节词语的声调模式相同。

有些可分解的三音节词语可以切分成 2 + 1 或者 1 + 2 的模式，即一个双音节加一个单音节的组合。这时先按照双音节词语的声调组合模式确定双音节的声调模式，然后再加上保持原调的第三个音节，就可以确定该三音节词语的声调模式了。朗读时要注意第三声音节的变调。

教师可利用课本第 94 页的三音节声调搭配词表进行语音练习。可先领读第一行三音节词语，使学生熟悉练习方法，然后变换齐读、单个学生读、按顺序读、跳读等方法组织学生进行练习。

练习册相关练习：第 87 页 / 三

6 汉字

① 知识点解析

独体字

天：本义表示头顶，后来借指"天空"，与"地"相对。

气：字形与"三"相似，意思是没有一定的形状、体积，能自由散布的气体。

雨：字形像从天上降落下来的水滴，表示一种自然现象。

偏旁

女：女字旁，一般和女性有关系。

饣：食字旁，一般和食物有关系。

② 汉字练习

• 教师板书或者用手指在空中书写本课独体字"天、气、雨"，带领学生一起识记独体字的笔画笔顺。

- 教师板书本课偏旁"女、饣",提示学生注意这两个偏旁的笔画和笔顺,并书写各自的代表汉字,帮助学生识记偏旁的意义。
- 补充练习

辨认下列汉字并组词

大(　　　)　　　　气(　　　)
太(　　　)　　　　吃(　　　)

姐(　　　)　　　　雨(　　　)
妹(　　　)　　　　水(　　　)

练习册相关练习:第88-89页/四

7 补充课堂活动——找一找,说一说

教师准备分别写有汉字和词语的卡片。教师保留四张汉字卡片,其他词语卡片打乱顺序分发给学生。教师分别出示汉字卡片,让学生看自己手中的词语卡片是否包含这个汉字,如果包含,请学生出示并朗读这个词语,并且用这个词语说一个句子。

汉字卡片:天、饭、女、姐
词语卡片:今天、明天、昨天、天气、
　　　　　吃饭、早饭、午饭、晚饭、米饭、
　　　　　女儿、女生、女老师、
　　　　　小姐、姐姐

8 本课小结

- 语言点:……怎么样?
　　　　　主谓谓语句
　　　　　太……了
　　　　　能愿动词"会"表示可能
- 语　音:三音节词语的声调搭配(1):一声音节开头
- 汉　字:独体字"天、气、雨"
　　　　　偏旁"女、饣"

附注:建议教学用具

1. 生词卡片:第11、12课生词卡片

2. 独体字卡片:第12课独体字卡片

3. 图片:身体不舒服、阴天、晴天

4. 补充活动卡片:汉字及包含这些汉字的词语

13 他在学做中国菜呢

一、教学内容和教学目标

重点词语	学生能够熟练掌握"学习、上午、睡觉、电视、喜欢、打电话、也"的词义和用法
语言点	学生能够了解并掌握： （1）叹词"喂" （2）"在……呢"表示动作正在进行 （3）电话号码的表达 （4）语气助词"吧"：用在祈使句末尾，委婉表达建议或者命令
语音	学生熟悉二声音节开头的三音节词语的声调模式，并能正确朗读
汉字	学生能够： （1）熟练认读本课生词 （2）独立书写独体字"日、目、习" （3）了解"日（日字旁）、目（目字旁）"所表示的意思
功能	学生能够： （1）询问和简单描述某人什么时间在做什么 （2）询问和回答电话号码 （3）委婉地表达建议或命令

二、教学步骤

一 复习旧课

1.教师出示第12课生词卡片，要求学生快速认读下列生词。

天气、怎么样、太……了、热、冷、下雨、

小姐、来、身体、爱、些、水果、水

2.教师根据第12课重点内容简单提问，活跃课堂气氛。

（1）今天天气怎么样？明天呢？

（2）今天会下雨吗？

（3）你爱吃什么水果？（教师可根据当地实际情况补充两三种常见水果名称）

（4）你身体怎么样？

（5）你爸爸/妈妈/……身体怎么样？

二 学习新课

1 热身

　　教师可按照性别或者座位把全班学生分成两组，要求一组学生按照词语编号逐个齐读所列词语，另一组学生说出对应的图片编号，教师评判正误。最后全体学生再次齐读热身环节的所有词语，要求语音标准、声调准确。

　　答案：①B　②D　③A　④C　⑤E　⑥F

2 生词

（1）生词快速认读及正音

　　喂、也、学习（学）、上午、睡觉、电视、

　　喜欢、给、打电话、吧、大卫

- 教师使用生词卡片有拼音和汉字的一面，带领学生快速认读一遍本课生词；
- 使用生词卡片只有汉字的一面，带领学生再次认读本课生词；
- 请单个学生独自认读 2-3 个生词；
- 最后全体学生再快速认读一遍本课所有生词。

（2）重点生词扩展及常用搭配

　　学习—学习什么

　　　　—学习汉语—学习汉字—学习做饭

　　上午—今天上午—昨天上午—明天上午

　　　　　↔ 下午 ↔ 中午

　　睡觉—在家睡觉

　　　　—几点睡觉—十点睡觉

　　电视—看电视—在家看电视

　　　　↔ 电影 ↔ 电话 ↔ 电脑

　　喜欢—喜欢做什么？

　　　　—喜欢学习汉语—喜欢看电视—喜欢看电影—喜欢吃中国菜—喜欢喝茶

　　　　—不喜欢喝咖啡—不喜欢看电视

　　打电话—给妈妈打电话—给朋友打电话—给老师打电话　　　| 给 + 某人 + 打电话 |

　　也—我学习汉语，他也学习汉语。

　　　　—妈妈喜欢看电视，爸爸也喜欢看电视。　　　　　　| A……，B 也……。|

　　　　—大卫不是中国人，我也不是中国人。

　　练习册相关练习：第 90 页 / 一 / 第一部分，第 93 页 / 二 / 第一部分

3 语言点

（1）叹词"喂"

① 语言点解析

给某人打电话或者接听别人电话开头时的常用语。

② 语言点导入与操练

教师可找几段影视作品中典型、简短的打电话、接电话片段，播放给学生。让学生体会"喂"的实际应用并跟读模仿。

> 注意：
> - "喂"在实际应用中常有两种声调"wèi"和"wéi"，用二声时含询问的意思多一些。
> - 教师应提示学生自觉将"喂"与打电话的场景联系起来，以便于应对 HSK 考试中可能会出现的判断场景类听力题。

（2）"在……呢"表示动作正在进行

① 语言点解析

动词前边加上副词"在"，或者句末用语气助词"呢"表示动作正在进行。其否定形式是"没在……。"句末不能用"呢"。

> 主语 + 在 +…… （+ 呢 ）。

> 主语 + 没在 +……。

② 语言点导入

教师可利用本课热身图片 A 进行导入。

教师：她做什么？

学生：睡觉。

教师：现在，她在做什么呢？

学生：她在睡觉呢。

③ 语言点操练

教师可利用本课热身部分其他图片进行操练。

图片 B：

教师：他们在做什么呢？

学生：他们在看电视呢。

教师：他们在打电话吗？

学生：他们没在打电话。

目标句：他们没在打电话，他们在看电视呢。

其他目标句：他在打电话呢。

　　　　　　她在看书呢。

　　　　　　他们在做中国菜呢。

　　　　　　他们在学习呢。

④ 语言点扩展练习

教师可组织学生两人一组，根据实际情况进行问答练习。

A：你昨天晚上 8 点在做什么呢？

B：我在……呢。你呢？

C：我没在……，我在……。

> 注意：
> - "在……呢"句型的否定形式为"没在……"，不能用"不"进行否定，句末不能加"呢"。
> - "在……呢"可以表示现在正在进行的动作行为，也可以用于描述已经发生或者将要发生的进行中的动作行为。

（3）电话号码的表达

① 语言点解析

电话号码的读法与一般数字的读法有所不同。电话号码要一位一位地读，号码中的数字"1"要读成"yāo"。

② 语言点导入

教师可用中国常用的紧急求助电话号码进行导入。

110（报警）　　　　119/999（火警）　　　　120（急救）　　　　122（交通事故）

③ 语言点操练

教师可组织学生制作全班同学通讯录，全班分为几个小组，先在组内互相询问并记录电话号码，之后全班汇总，最后由教师或指定一名同学制成班级通讯录，下节课发给每个人。

> 注意：
> 教师提示中国电话号码的位数及常用停顿模式，座机一般是8位，"4-4"停顿；手机11位，"3-4-4"停顿。（可参照第15课后的"文化"部分进行介绍）

（4）语气助词"吧"

① 语言点解析

语气助词"吧"用在祈使句句尾，表示建议或者命令别人，使语气缓和。

> ……吧。

② 语言点导入

教师出示一张米饭的图片，通过提问进行导入。

教师：今天中午你想吃米饭，你要对妈妈说什么？

学生：今天中午我想吃米饭。

教师：对，也可以说"……吧"。

学生：今天中午我们吃米饭吧。

③ 语言点操练

教师出示看电影、咖啡、在商场购物的图片，请学生建议图片提示的内容。

目标句：明天我们去看电影吧。

　　　　今天下午我们去喝咖啡吧。

　　　　星期六我们去商场买东西吧。

④ 语言点扩展练习

教师组织学生两人一组，根据提示进行对话练习。

A：……（时间）我们去……（做什么）吧。

B：我不想去，我们去……（做什么）吧。

A：好吧。我们什么时候去？

B：……。

看电影	喝咖啡	喝茶
买东西	去图书馆	吃中国菜
……		

4 课文

课文 1

（1）让学生听两遍录音并回答下列问题：

"我"在做什么呢？

大卫也在看书吗？

大卫在做什么呢？

（2）根据学生的回答，教师领说变为叙述体的课文，并请学生单个复述：

我在看书呢，大卫没看书，他在学做中国菜呢。

（3）教师领读课文两遍，然后让学生分角色朗读课文。

课文 2

（1）让学生听两遍录音并回答下列问题：

昨天上午她们在做什么呢？

（2）教师领读课文两遍，然后让学生分角色朗读课文。

（3）教师根据学生实际情况进行问答练习，并组织学生互相提问。

昨天上午你在看电视吗？

昨天晚上你在学习汉语吗？

昨天中午你在看书吗？

……你在做什么呢？

课文 3

（1）让学生听两遍录音并回答下列问题：

李老师的电话号码是多少？

李老师现在在做什么呢？

什么时候可以给李老师打电话？

（2）教师领读课文两遍，然后让学生分角色朗读课文。

（3）模仿练习

教师组织学生两人一组，根据提示进行对话练习。

A：……是……的电话吗？

B：不是，……的电话是……。

A：好，我现在给他/她打电话。

B：他/她在……呢，你……打吧。

学生两人一组，将上述对话内容改为叙述体再复述一遍。

……不是……的电话。他/她的电话是……。他/她现在在……呢，不能给他/她打电话。你……打吧。

5 语音

三音节词语的声调搭配（2）：二声音节开头

教师引导学生将三音节词语的声调模式切分成 2 + 1 或者 1 + 2 的模式，注意第三声音节的变调。

教师可利用课本第 102 页的三音节声调搭配词表进行语音练习。可先领读第一行三音节词语，使学生熟悉练习方法，然后变换齐读、单个学生读、按顺序读、跳读等方法组织学生进行练习。

练习册相关练习：第 96 页/三

6 汉字

① 知识点解析

独体字

日：是太阳的形象，本义是太阳。

目：是眼睛的形象，本义是眼睛。

习：本义是"学"过后反复地温习，达到熟练的程度，现在"学"和"习"没什么差异。

偏旁

日：日字旁，一般和时间有关系。

目：目字旁，一般和眼睛有关系。

② 汉字练习

• 教师板书或者用手指在空中书写本课独体字"日、目、习"，带领学生一起识记独体字的笔画笔顺。

• 教师板书本课偏旁"日、目"，提示学生注意这两个偏旁笔画数目的不同，并书写各自的代表汉字，帮助学生识记该偏旁的意义。

• 补充练习
  辨认下列汉字并组词

  { 日（　　　）　　　　　{ 习（　　　）
  { 目（　　　）　　　　　{ 问（　　　）

  { 小（　　　）　　　　　{ 学（　　　）
  { 少（　　　）　　　　　{ 字（　　　）

  练习册相关练习：第97–98页／四

7 **补充课堂活动——我来做，你来猜**

　　教师准备一些表示动作的词语卡片。A、B 两个学生一组到教室前边完成，教师给 A 同学和其他同学出示卡片，B 同学不能看。A 同学要用动作表演出卡片上词语的内容，B 同学根据 A 同学的表演猜测并说出这个词语是什么，之后再用"他/她在……呢"进行表达。

　　词语卡片：打电话、睡觉、看书、吃饭、

　　　　　　　看电视、做饭、喝水、……

8 **本课小结**

• 语言点：叹词"喂"用于打电话
　　　　　 "在……呢"表示动作正在进行
　　　　　 电话号码的表达
　　　　　 "……吧。"表示委婉建议
• 语　音：三音节词语的声调搭配（2）：二声音节开头
• 汉　字：独体字"日、目、习"
　　　　　 偏旁"日、目"

附注：建议教学用具

1. 生词卡片：第 12、13 课生词卡片

2. 独体字卡片：第 13 课独体字卡片

3. 视频：打电话、接电话

4. 图片：米饭、看电影、咖啡、在商场购物

5. 补充活动卡片：表示动作的词语

14 她买了不少衣服

一、教学内容和教学目标

重点词语	学生能够熟练掌握"东西、一点儿、开、回来、漂亮、少、这些"的词义和用法
语言点	学生能够了解并掌握： （1）"了"表示发生或完成 （2）名词"后"：表示现在或者所说的某个时间以后的时间 （3）语气助词"啊" （4）副词"都"
语音	学生熟悉三声音节开头的三音节词语的声调模式，并能正确朗读
汉字	学生能够： （1）熟练认读本课生词 （2）独立书写独体字：开、车、回 （3）了解"月（肉月旁）、扌（提手旁）"所表示的意思
功能	学生能够熟练： （1）询问和回答已经完成或发生的事件 （2）描述现在或者所说的某个时间以后的时间 （3）表达感叹的语气 （4）表达全部、总括的意义

二、教学步骤

一 复习旧课

1. 教师出示第 13 课生词卡片，要求学生快速认读下列生词。

喂、也、学习（学）、上午、睡觉、电视、

喜欢、给、打电话、吧、大卫

2. 教师根据第 13 课重点内容简单提问，活跃课堂气氛。

（1）你喜欢看电视吗？你喜欢看电影吗？

（2）昨天晚上 8 点你在做什么呢？

（3）今天早上 7 点你在做什么呢？

（4）你常常给谁打电话？

（5）你的电话号码是多少？

二 学习新课

1 热身

　　教师可依次指示热身部分的图片，要求学生集体或单个说出图片对应的词语，教师评判正误，并注意纠正学生的发音错误。最后全体学生再次齐读热身环节的所有词语，要求语音标准、声调准确。

　　答案：①D　②A　③B　④F　⑤E　⑥C

2 生词

（1）生词快速认读及正音

　　东西、一点儿、苹果、看见、先生、

　　开、车、回来、分钟、后、衣服、

　　漂亮、啊、少、这些、都、张

- 教师使用生词卡片有拼音和汉字的一面，带领学生快速认读一遍本课生词；
- 使用生词卡片只有汉字的一面，带领学生再次认读本课生词；
- 请单个学生独自认读 2–3 个生词；
- 最后全体学生再快速认读一遍本课所有生词。

> 注意：
> 　　本课含有轻声音节的词语较多，如：东西、先生、回来、衣服、漂亮，教师要注意提示学生轻声音节的声调搭配。

（2）重点生词扩展及常用搭配

　　东西—什么东西—这是什么东西？

　　　　—我的东西—他的东西—老师的东西—谁的东西

　　　　—买东西—买什么东西—你想买什么东西？

　　一点儿—一点儿东西—一点儿苹果—一点儿茶　　　`一点儿 + 名词`

　　　　—买一点儿东西—吃一点儿苹果—喝一点儿茶

　　开—开车—会开车—不会开车—学开车

　　　　—开车去学校—开车去商店—开车回家

　　回来—能回来—什么时候能回来—你什么时候能回来？

　　漂亮—很漂亮—太漂亮了

　　　　—漂亮的衣服—漂亮的杯子—漂亮的小猫

　　少—很少—不少　　　　　　　　　　　　　　　`不少 + 名词`

　　　　—不少衣服—不少苹果—不少学生

　　这些—这些衣服—这些苹果—这些学生

　　　　↔那些↔哪些

　　练习册相关练习：第 99 页 / 一 / 第一部分，第 102 页 / 二 / 第一部分

3 语言点

（1）"了"表发生或完成

① 语言点解析

　　"了"可用于句尾，表示发生或已经完成；也可用于动词后带宾语，该宾语前一般要有定语，如数量词、形容词、代词等。"了"表示发生或已经完成的否定形式为"没……"，同时"了"要去掉。

主语＋动词（宾语）＋了。

主语＋动词＋了＋……宾语。

主语＋没＋动词（宾语）。

② 语言点导入

教师可利用本课热身图片 F、B、D 进行导入。

教师出示图片 F：

教师：明天她去哪儿？

学生：明天她去商店。

教师：昨天她去哪儿了？

学生：昨天她去商店了。

图片 B：

教师：她买什么了？

学生：她买衣服了。

图片 D：

教师：他买衣服了吗？

学生：没有，他没买衣服，他买苹果了。

教师：他买了几个苹果？

学生：他买了五个苹果。

③ 语言点操练

教师可组织学生根据实际情况进行问答练习。

教师：昨天你看电影了吗？

学生：昨天我没看电影，我看电视了。

教师：早上你吃米饭了吗？

学生：早上我吃米饭了。

教师：你吃了多少米饭？

学生：我吃了一点儿米饭。

④ 语言点扩展练习

教师可组织学生两人一组，根据提示完成对话练习。

A：……（时间）你去哪儿了？

B：……（时间）我去……了。

A：……（时间）你做什么了？

B：……（时间）我……了。

注意：
- "了"字句的否定形式是"没＋动词"，同时"了"要去掉。
- "了"字句带宾语时，宾语前要有数量词、形容词、代词等做定语。

（2）名词"后"

① 语言点解析

名词"后"表示现在或者所说的某个时间以后的时间。

什么时候／多长时间＋后

② 语言点导入

教师：我们什么时候下课？

学生：我们……分钟后下课。

教师：你几点吃午饭？

学生：我……后吃午饭。

③ 语言点操练

教师可组织学生根据实际情况进行问答练习。

目标句：我一个小时后回家。

我早上九点后去超市。

我半个小时后去学习汉语。

④ 语言点扩展练习

教师可组织学生两人一组根据提示词完成对话练习。

A：你什么时候……？

B：……

A：你什么时候……？

B：……

去学校	学习汉语	去超市
去买书	回家	去吃中国菜
去看朋友	去买衣服	

（3）语气助词"啊"

语气助词"啊"用在陈述句末，使句子带上一层感情色彩。"啊"与前面的字相邻，在语流中常受到前一字尾音的影响而发生不同的变音，书面上有时按变音写成不同的字。

① 在 a、o、e、i、ü 后读 ya，汉字可写作"呀"。

② 在 u、ao、ou 后读 wa，汉字可写作"哇"。

③ 在 -n 后读 na，汉字可写作"哪"。

④ 在 -ng 后读 nga，汉字仍写作"啊"。

⑤ 在 zi、ci、si 三个音节中的 -i[ɿ] 后读 za，汉字仍写作"啊"。

⑥ 在 zhi、chi、shi 三个音节中的 -i[ʅ] 后读 ra，汉字仍写作"啊"。

（4）副词 "都"

① 语言点解析

　　副词 "都" 表示总括全部，所总括的对象必须放在 "都" 的前面，动词要放在 "都" 的后边。

> 主语＋都＋动词。

② 语言点导入

教师可利用学生的实际情况进行导入。

教师：你学习汉语吗？

学生 A：我学习汉语。

教师：你也学习汉语吗？

学生 B：我也学习汉语。

教师：你们都学习汉语吗？

全体学生：对，我们都学习汉语。

③ 语言点操练

教师可组织学生根据实际情况进行问答练习。

目标句：我们都喜欢吃中国菜。　　　我们都不是中国人。

我们都会说汉语。　　　这些都不是老师的东西。

我们都会写汉字。　　　……

4 课文

课文 1

（1）让学生听两遍录音并回答下列问题：

昨天上午她去哪儿了？

她买什么了？

她买了多少苹果？

（2）根据学生的回答，教师领说变为叙述体的课文，并请学生单个复述：

昨天上午她去商店买东西了，她买了一点儿苹果。

（3）教师领读课文两遍，然后让学生分角色朗读课文。

课文 2

（1）让学生听两遍录音并回答下列问题：

他看见张先生了吗？

张先生去哪儿了？

张先生什么时候能回来？

（2）根据学生的回答，教师领说变为叙述体的课文，并请学生单个复述：

他看见张先生了。张先生去学开车了，40分钟后能回来。

（3）教师领读课文两遍，然后让学生分角色朗读课文。

课文 3

（1）让学生听两遍录音并回答下列问题：

王方的衣服怎么样？

王方买了多少衣服？

这些都是谁的东西？

（2）教师领读课文两遍，然后让学生分角色朗读课文。

（3）模仿练习

教师组织学生两人一组，根据提示进行对话练习。

A：你买什么了？

B：我买……了。

A：你买了多少／几＋（量词）……？

B：我买了……。

5 语音

三音节词语的声调搭配（3）：三声音节开头

教师引导学生将三音节词语的声调模式切分成 2+1 或者 1+2 的模式，注意第三声音节的变调。

教师可利用课本第 109 页的三音节声调搭配词表进行语音练习。可先领读第一列三音节词语，使学生熟悉练习方法，然后变换齐读、单个学生读、按顺序读、跳读等方法组织学生进行练习。

练习册相关练习：第 105 页／三

6 汉字

① 知识点解析

独体字

开：繁体字的字形像一双手抽拉门栓。本义是抽掉门栓，启动关闭的门。现在意思很多，如驾驶（开车）、开放（开花）。

车：繁体字的字形像某种器械，两边各有一个轮子，本义是有轮子、靠牛马拉动的战斗工具。现在泛指陆上运输、交通工具，如"出租车"、"火车"。

回：字形像水流回旋的样子，本义是"旋转"，后来表示"返还、回来"。

偏旁

月：肉月旁，一般和人体、肉有关系。

扌：提手旁，一般表示和手有关的动作。

② 汉字练习

- 教师板书或者用手指在空中书写本课独体字"开、车、回",带领学生一起识记独体字的笔画笔顺。
- 教师板书本课偏旁"月、扌",提示学生注意这两个偏旁的笔画和笔顺,并书写各自的代表汉字,帮助学生识记偏旁的意义。
- 补充练习

  辨认下列汉字并组词

开( )	回( )
天( )	四( )

车( )	服( )
午( )	朋( )

  练习册相关练习:第 106 页 / 四

7 补充课堂活动——我的周末

学生 3–4 人一组,填写下列表格,然后请 1–2 位学生口头报告小组情况。

姓名	时间	事情
大卫	上个星期六晚上	跟朋友一起去看电影

口头报告:上个星期六晚上,大卫跟朋友一起去看电影了。

8 本课小结

- 语言点:"……了。"表发生或完成

  "……后"表示时间

  语气助词"啊"

  副词"都"
- 语　音:三音节词语的声调搭配(3):三声音节开头
- 汉　字:独体字"开、车、回"

  偏旁"月、扌"

附注: 建议教学用具

1.生词卡片:第 13、14 课生词卡片

2.独体字卡片:第 14 课独体字卡片

15 我是坐飞机来的

一、教学内容和教学目标

重点词语	学生能够熟练掌握"认识、年、大学、一起、听"的词义和用法
语言点	学生能够了解并掌握： （1）"是……的"句：强调时间、地点、方式 （2）日期的表达（2）：年、月、日/号、星期
语音	学生熟悉四声音节开头的三音节词语的声调模式，并能正确朗读
汉字	学生能够： （1）熟练认读本课生词 （2）独立书写独体字"年、出、飞" （3）了解"艹（草字头）、宀（宝盖头）"所表示的意思
功能	学生能够熟练： （1）询问和描述已经完成动作行为的时间、地点、方式 （2）按"年－月－日－星期"由大到小表达日期和星期

二、教学步骤

一 复习旧课

1. 教师出示第 14 课生词卡片，要求学生快速认读下列生词。

　　东西、一点儿、苹果、看见、先生、

　　开、车、回来、分钟、后、衣服、

　　漂亮、啊、少、这些、都、张

2. 教师根据第 13 课重点内容简单提问，活跃课堂气氛。

　　（1）昨天你去商店了吗？

　　（2）昨天你买什么了？

　　（3）今天早上你吃早饭了吗？你吃什么了？

　　（4）昨天你看见……了吗？

　　（5）昨天你给……打电话了吗？

　　（6）今天你下课后做什么？

二 学习新课

1 **热身**

教师可随机出示热身图片所对应 6 个词语的卡片，要求学生集体或单个说出词语对应的图片编号，教师评判正误。最后全体学生再次齐读热身环节的所有词语，并注意纠正学生的发音错误，要求语音标准、声调准确。

答案：①D ②F ③A ④E ⑤B ⑥C

2 **生词**

（1）生词快速认读及正音

认识、年、大学、饭店、出租车、

一起、高兴、听、飞机

- 教师使用生词卡片有拼音和汉字的一面，带领学生快速认读一遍本课生词；
- 使用生词卡片只有汉字的一面，带领学生再次认读本课生词；
- 请单个学生独自认读 2–3 个生词；
- 最后全体学生再快速认读一遍本课所有生词。

> 注意：
>
> 本课较难发音的词语是"出租车"，教师要提示学生注意这个三音节词的声母 ch、z、ch 以及韵母 u、u、e 的不同。

（2）重点生词扩展及常用搭配

认识——认识你很高兴

—认识大卫—不认识大卫—认识大卫吗？

—认识这个汉字—不认识这个汉字—认识这个汉字吗？

—在哪儿认识的？ —什么时候认识的？

年——一年—两年

—几年—哪年

大学——上大学

—大学生—大学同学

↔ 中学 ↔ 小学

一起——一起吃饭—一起学习—一起去商店　　　（跟＋谁＋）一起＋动词

—跟朋友一起吃饭—跟同学一起学习—跟妈妈一起去商店

听——听音乐—听 CD—听歌

—听老师说—听朋友说—听张先生说　　　听＋谁＋说

练习册相关练习：第 107 页／一／第一部分，第 110 页／二／第一部分

3 **语言点**

（1）"是……的"句

① 语言点解析

在已经知道事情发生的情况下，可以用"是……的"句强调事情发生的时间、地点、方式等。肯定句和疑问句中的"是"字可以省略，否定句中不能省略。

主语（＋是）＋时间／地点／方式＋动词（宾语）＋的。

主语＋不是＋时间／地点／方式＋动词（宾语）＋的。

主语（＋是）{＋什么时候 ＋在哪儿 ＋怎么}＋动词（宾语）＋的？

② 语言点导入

教师可利用本课热身图片 C、A 进行导入。

教师出示图片 C：

教师：张先生去商店了。他是怎么去的？

学生：张先生是开车去商店的。

教师：他是坐出租车去商店的吗？

学生：他不是坐出租车去商店的。

教师再出示图片 A：

教师：张先生和李小姐认识，他们是在哪儿认识的？

学生：他们是在学校认识的。

接着出示一张 2008 年的日历：

教师：他们是什么时候认识的？

学生：他们是 2008 年认识的。

③ 语言点操练

教师可利用本课热身图片 D、F 进一步操练。

目标句：他是坐飞机去北京的。

他们是坐出租车来饭店的。

教师也可组织学生根据实际情况进行问答练习。

教师：今天你是怎么来学校的？

学生：我是坐出租车来学校的。

教师：你是几点来学校的？

学生：我是上午十点来学校的。

教师：你的衣服是在哪儿买的？

学生：我的衣服是在商店买的。

④ 语言点扩展练习

教师可组织学生两人一组，根据提示，就学生的某个所属物品完成对话练习。

A：你的……是在哪儿买的？

B：……。

A：你的……是什么时候买的？

B：……。

注意：
- 教师要提示学生注意"是……的"句一定要用于已经发生的事情，不能出现"我是明天来北京的。"这样的句子。
- 肯定和疑问形式的"是……的"句中，"是"常常省略，但否定句中的"是"不能省略。

（2）日期的表达（2）年、月、日 / 号、星期

① 语言点解析

　　汉语中日期的写法和读法都是从大到小，即按照"年 – 月 – 日 – 星期"的顺序，星期放在最后。日期书写时一般写"日"，但口语表达中一般说"号"。年要分别读出每个数字，再加上"年"。月、日要读出整个数字，再加上"月""日 / 号"。星期的读法是"星期"加上数字。年份中"1"的读法和电话号码、房间号码不同，读作"yī"，不读"yāo"。

② 补充朗读练习

2014 年 3 月 21 日，星期五

2008 年 9 月 20 日，星期三

2000 年 12 月 25 日，星期六

1998 年 7 月 14 日，星期一

4 课文

课文 1

（1）让学生听两遍录音并回答下列问题：

　　她和李小姐是什么时候认识的？

　　她们是在哪儿认识的？

　　她们是什么同学？

（2）根据学生的回答，教师领说变为叙述体的课文，并请学生单个复述：

　　她和李小姐是 2011 年 9 月在学校认识的，她们是大学同学。

（3）教师领读课文两遍，然后让学生分角色朗读课文。

课文 2

（1）教师朗读两遍变为叙述体的课文，请学生回答下列问题：

　　他们在什么地方？

　　他们是怎么来的？

　　李先生也是坐出租车来的吗？

　　李先生是怎么来的？

（2）教师带领学生根据以上问题的答案叙述课文内容，并请学生单个复述：

　　他们在饭店，他们是坐出租车来的。

　　李先生不是坐出租车来的，他是和朋友一起开车来的。

（3）教师领读课文两遍，然后让学生分角色朗读课文。

课文 3

（1）让学生听两遍录音并回答下列问题：

他们在哪儿？

他是怎么来北京的？

（2）教师领读课文两遍，然后让学生分角色朗读课文。

（3）模仿练习

教师组织学生两人一组，根据提示进行对话练习。

A：很高兴认识您，……。

B：认识你我也很高兴。

A：听……说，你是……（时间 / 地点 / 方式）的？

B：不是，我是……（时间 / 地点 / 方式）的。

5 语音

三音节词语的声调搭配（4）：四声音节开头

教师引导学生将三音节词语的声调模式切分成 2 + 1 或者 1 + 2 的模式，注意第三声音节的变调。

教师可利用课本第 116 页的三音节声调搭配词表进行语音练习。可先领读第一列三音节词语，使学生熟悉练习方法，然后变换齐读、单个学生读、按顺序读、跳读等方法组织学生进行练习。

练习册相关练习：第 113 页 / 三

6 汉字

① 知识点解析

独体字

年：字形的本义是将收成的谷物运回家，现在是时间单位。

出：字形像脚离开某地，现在是从里面到外面的意思。

飞：本义是鸟类或虫类等用翅膀在空中往来活动，现在泛指在天上飞、速度快等。

偏旁

艹：草字头，一般和草木或者植物有关系。

宀：宝盖头，一般和房子有关系。

② 汉字练习

• 教师板书或者用手指在空中书写本课独体字"年、出、飞"，带领学生一起识记独体字的笔画笔顺。

• 教师板书本课偏旁"艹、宀"，提示学生注意这两个偏旁的笔画和笔顺，并书写各自的代表汉字，帮助学生识记偏旁的意义。

- 补充练习

  辨认下列汉字并组词

  $\begin{cases} 年（\quad） \\ 生（\quad） \end{cases}$　　　　$\begin{cases} 飞（\quad） \\ 分（\quad） \end{cases}$

  $\begin{cases} 茶（\quad） \\ 菜（\quad） \end{cases}$　　　　$\begin{cases} 出（\quad） \\ 去（\quad） \end{cases}$

  练习册相关练习：第 114 页 / 四

7 **补充课堂活动——……的朋友**

　　学生 3 人一组，各自介绍自己跟一位同学或者朋友相识的经历，然后每组同学互换复述。

　　例如：……（名字）认识……（名字）（多长时间）了。他们 / 她们是……（时间）认识的。他们 / 她们是在……（地方）认识的。他们 / 她们是……（怎么）认识的。

8 **本课小结**

- 语言点："是……的。"

  日期的表达：年 – 月 – 日 – 星期

- 语　音：三音节词语的声调搭配（4）：四声音节开头

- 汉　字：独体字"年、出、飞"

  偏旁"艹、宀"

附注：建议教学用具

1. 生词卡片：第 14、15 课生词卡片

2. 独体字卡片：第 15 课独体字卡片

3. 日历

文化：中国人经常使用的通信工具

1 文化点解析

① 目前中国人常用的通信工具有电话机（座机）和手机两种。

② 座机号码因地区的不同位数也不同，一般为 7-8 位。北京、上海、广州等大城市的座机号码一般为 8 位，中小城市的座机号码多为 7 位。

③ 手机号码的位数各地区一致，都是 11 位，朗读时一般切分为"3-4-4"的停顿模式。

④ 电话号码中的"1"要读成"yāo"，这样可以和"7（qī）"区别开。

2 文化点参考处理方式

• 教师可出示几组不同的号码，请学生按照座机号码和手机号码分成两类。如：

13901078327   62378866   13520198834

18600145789   2036691   8495002

座机号码：

手机号码：

• 请学生分别朗读上述电话号码。

练习册听力文本及参考答案

第1课　你好

四、听录音，写出听到的声母并朗读

1. <u>b</u>　āi（掰）
2. <u>h</u>　uài（坏）
3. <u>j</u>　iào（叫）
4. <u>p</u>　í（皮）
5. <u>m</u>　ǎn（满）
6. <u>h</u>　uǒ（火）
7. <u>q</u>　ù（去）
8. <u>x</u>　iǎo（小）
9. <u>q</u>　uè（却）
10. <u>x</u>　ià（下）
11. <u>t</u>　ǎo（讨）
12. <u>d</u>　āo（刀）
13. <u>n</u>　ǎi（奶）
14. <u>m</u>　ǎi（买）
15. <u>g</u>　è（个）
16. <u>k</u>　ǎo（考）
17. <u>l</u>　ái（来）
18. <u>h</u>　ǎi（海）
19. <u>p</u>　ào（炮）
20. <u>f</u>　ēi（飞）

五、听录音，写出听到的韵母并朗读

1. h<u>uā</u>（花）
2. h<u>uǒ</u>（火）
3. h<u>uí</u>（回）
4. m<u>éi</u>（没）
5. f<u>ú</u>（服）
6. h<u>ǎo</u>（好）
7. n<u>ǐ</u>（你）
8. w<u>èi</u>（喂）
9. b<u>āo</u>（包）
10. j<u>iào</u>（叫）
11. j<u>iě</u>（姐）
12. d<u>ì</u>（第）
13. g<u>ē</u>（哥）
14. g<u>āi</u>（该）
15. p<u>iě</u>（撇）
16. h<u>uài</u>（坏）
17. y<u>uè</u>（月）
18. h<u>ēi</u>（黑）
19. g<u>uó</u>（国）
20. l<u>ǜ</u>（绿）

六、听录音，写出听到的声调并朗读

1. bù（不）
2. hǎo（好）
3. kè（课）
4. qī（七）
5. méi（没）
6. yǒu（有）
7. mā（妈）
8. jiě（姐）
9. gè（个）
10. gē（哥）
11. dì（弟）
12. nǔ（女）
13. tiáo（条）
14. mǎi（买）
15. huī（灰）
16. huà（话）
17. nǎ（哪）
18. guó（国）
19. jiào（叫）
20. ér（儿）

参考答案

三、1. D　2. C　3. A　4. E　5. B

四、1. b　2. h　3. j　4. p
　　5. m　6. h　7. q　8. x
　　9. q　10. x　11. t　12. d
　　13. n　14. m　15. g　16. k
　　17. l　18. h　19. p　20. f

五、1. uā　2. uǒ　3. uí　4. éi
　　5. ú　6. ǎo　7. ǐ　8. èi
　　9. āo　10. iào　11. iě　12. ì
　　13. ē　14. āi　15. iě　16. uài
　　17. uè　18. ēi　19. uó　20. ǜ

六、1. bù　2. hǎo　3. kè　4. qī
　　5. méi　6. yǒu　7. mā　8. jiě
　　9. gè　10. gē　11. dì　12. nǔ
　　13. tiáo　14. mǎi　15. huī　16. huà
　　17. nǎ　18. guó　19. jiào　20. ér

七、1.（4）　2.（2）　3.（1）　4.（3）

104

第2课　谢谢你

四、听录音，写出听到的声母并朗读

1. r én（人）　　2. sh én（神）　　3. zh āng（张）　　4. z āng（脏）

5. sh ǒu（手）　　6. zh uō（桌）　　7. z uò（做）　　8. zh àn（站）

9. z ì（字）　　10. s ān（三）　　11. s ì（四）　　12. z án（咱）

13. ch á（茶）　　14. ch áng（常）　　15. z ǒu（走）　　16. zh ōu（周）

17. zh ōng（中）　　18. c ài（菜）　　19. r è（热）　　20. ch ē（车）

五、听录音，写出听到的韵母并朗读

1. m én（门）　　2. sh ān（山）　　3. x ióng（熊）　　4. y òng（用）

5. sh uāng（双）　　6. x iǎng（想）　　7. x īn（新）　　8. ch àng（唱）

9. n éng（能）　　10. k ùn（困）　　11. f ēng（风）　　12. l íng（零）

13. g uān（关）　　14. y uǎn（远）　　15. h uàn（换）　　16. sh ǒu（手）

17. ch uán（船）　　18. ch uáng（床）　　19. x iān（先）　　20. j iǔ（酒）

六、听录音，写出听到的声调并朗读

1. zhōng（中）　　2. miàn（面）　　3. fàn（饭）　　4. cài（菜）

5. néng（能）　　6. zhàn（站）　　7. chǎng（场）　　8. shǒu（手）

9. shuǐ（水）　　10. qīng（清）　　11. shěng（省）　　12. huáng（黄）

13. hóng（红）　　14. lán（蓝）　　15. rè（热）　　16. ròu（肉）

17. chá（茶）　　18. xiǎng（想）　　19. cāo（操）　　20. suàn（算）

参考答案

三、1. E　　2. C　　3. D　　4. A　　5. B

四、1. r　　2. sh　　3. zh　　4. z

5. sh　　6. zh　　7. z　　8. zh

9. z　　10. s　　11. s　　12. z

13. ch　　14. ch　　15. z　　16. zh

17. zh　　18. c　　19. r　　20. ch

五、1. én　　2. ān　　3. ióng　　4. òng

5. uāng　　6. iǎng　　7. īn　　8. àng

9. éng　　10. ùn　　11. ēng　　12. íng

13. uān　　14. uǎn　　15. uàn　　16. ǒu

17. uán　　18. uáng　　19. iān　　20. iǔ

六、1. zhōng　　2. miàn　　3. fàn　　4. cài

5. néng　　6. zhàn　　7. chǎng　　8. shǒu

9. shuǐ　　10. qīng　　11. shěng　　12. huáng

13. hóng　　14. lán　　15. rè　　16. ròu

17. chá　　18. xiǎng　　19. cāo　　20. suàn

七、1.（4）　　2.（1）　　3.（2）　　4.（3）

第 3 课　你叫什么名字

一、听力

第一部分

第 1-4 题：听词或短语，判断对错

例如：很高兴

看电影

1. 老师
2. 学生
3. 中国人
4. 美国人

第二部分

第 5-8 题：听对话，选择与对话内容一致的图片

例如：女：你好！

男：你好！很高兴认识你。

5. 女：你是学生吗？

男：不是，我是老师。

6. 男：你是中国学生吗？

女：不是，我是美国学生。

7. 男：您好，您是美国人吗？

女：是，我是美国人。

8. 男：老师，您叫什么名字？

女：我叫李月。

第三部分

第 9-12 题：听句子，回答问题

例如：下午我去商店，我想买一些水果。

问：她下午去哪里？

9. 她叫李月，她是老师。
   问：她叫什么名字？

10. 大卫是美国人，他是学生。
    问：大卫是中国人吗？

11. 他叫王心，他是中国人。
    问：他是哪国人？

12. 我叫马丁，我是美国人，我是学生。
    问：马丁是哪国人？

三、语音

第一部分

第1-8题：听录音，选择听到的音节

1. sì（四） 2. suān（酸） 3. cǐ（此） 4. suàn（算）

5. xiā（虾） 6. xīn（新） 7. xiāng（香） 8. jiǔ（酒）

第二部分

第9-16题：听录音，给下列词语中的"不"标注声调

9. bú shì（不是） 10. bù xiǎng（不想） 11. bù hǎo（不好） 12. bú kàn（不看）

13. bù néng（不能） 14. bù shuō（不说） 15. bú qù（不去） 16. bù mǎi（不买）

参考答案

一、听力
    1–4：×　×　√　√
    5–8：B　A　E　D
    9–12：A　B　B　C

二、阅读
    13–17：×　×　√　√　×
    18–22：E　D　C　A　B
    23–26：C　E　A　B
    27–30：G　F　I　H

三、语音
    1. sì   2. suān
    3. cǐ   4. suàn
    5. xiā   6. xīn
    7. xiāng   8. jiǔ
    9. bú shì   10. bù xiǎng
    11. bù hǎo   12. bú kàn
    13. bù néng   14. bù shuō
    15. bú qù   16. bù mǎi

第 4 课　她是我的汉语老师

一、听力

第一部分

第 1-4 题：听词或短语，判断对错

1. 老师
2. 美国
3. 同学
4. 朋友

第二部分

第 5-8 题：听对话，选择与对话内容一致的图片

5. 男：她是谁？
   女：她是我的汉语老师。

6. 男：他叫什么名字？
   女：他叫大卫，他是美国人。

7. 男：她是哪国人？
   女：她是中国人。

8. 女：她是谁？
   男：她是我同学，她叫玛丽。

第三部分

第 9-12 题：听句子，回答问题

9. 他叫李朋，他是中国人。
   问：他是哪国人？

10. 她是中国人，她是我的汉语老师。
    问：她是谁？

11. 她叫安妮，她不是我同学，她是我朋友。

　　问：她是谁？

12. 她叫李心，是我的中国朋友。

　　问：她叫什么名字？

三、语音

第一部分

第1-8题：听录音，选择听到的音节

1. zhuānjiā（专家）　　2. xīnnián（新年）　　3. chéngjì（成绩）　　4. fāyán（发言）

5. zhīdào（知道）　　6. zhījǐ（知己）　　7. shǐyòng（使用）　　8. rìqī（日期）

第二部分

第9-16题：听录音，给下列词语中的"一"标注声调

9. yì tiān（一天）　　10. yì nián（一年）　　11. yì běn（一本）　　12. yí wèi（一位）

13. yì zhāng（一张）　　14. yì píng（一瓶）　　15. yì wǎn（一碗）　　16. yí xià（一下）

参考答案

一、听力

　　1–4：×　×　√　√

　　5–8：E　A　D　B

　　9–12：C　C　A　B

二、阅读

　　13–17：×　√　×　×　×

　　18–22：E　C　D　B　A

　　23–26：B　A　C　E

　　27–30：I　G　H　F

三、语音

　　1. zhuānjiā　　2. xīnnián

　　3. chéngjì　　4. fāyán

　　5. zhīdào　　6. zhījǐ

　　7. shǐyòng　　8. rìqī

　　9. yì tiān　　10. yì nián

　　11. yì běn　　12. yí wèi

　　13. yì zhāng　　14. yì píng

　　15. yì wǎn　　16. yí xià

第 5 课 她女儿今年二十岁

一、听力

第一部分

第 1-4 题：听词或短语，判断对错

1. 女儿
2. 75 岁
3. 五口人
4. 40 岁

第二部分

第 5-8 题：听对话，选择与对话内容一致的图片

5. 男：你女儿今年几岁了？
   女：她今年 5 岁了。

6. 男：你们的汉语老师今年多大了？
   女：他今年 33 岁了。

7. 男：你家有几口人？
   女：我家有 6 口人。

8. 女：您今年多大了？
   男：我今年 80 岁了。

第三部分

第 9-12 题：听句子，回答问题

9. 李老师的女儿今年 4 岁了。
   问：谁今年 4 岁了？

10. 他是我的汉语老师，他今年 45 岁。
    问："我"的汉语老师今年多大？

11. 他是我的中国朋友，他家有 3 口人。

    问：谁家有 3 口人？

12. 他叫大卫，他是美国学生，他今年 22 岁。

    问：大卫今年多大？

三、语音

第一部分

第 1-8 题：听录音，选择听到的音节

1. liáng（粮）   2. hóng（红）   3. dǒng（懂）   4. nán（男）

5. sūn（孙）   6. huáng（黄）   7. shǎng（赏）   8. cōng（葱）

第二部分

第 9-16 题：听录音，选择每组中没有儿化韵的词语

9. A nánháir（男孩儿）   B dōngbian（东边）   C xiǎorénrshū（小人儿书）

10. A xiǎo wǎnr（小碗儿）   B pángbiānr（旁边儿）   C jiàn miàn（见面）

11. A zháojí（着急）   B xiǎo jīr（小鸡儿）   C xiǎo māor（小猫儿）

12. A wányìr（玩意儿）   B zhǎo chár（找茬儿）   C zhǎo qián（找钱）

13. A yì quānr（一圈儿）   B fàjì（发髻）   C shǒujuànr（手绢儿）

14. A yìdiǎnr（一点儿）   B wǔ diǎn（五点）   C yíhuìr（一会儿）

15. A lìxià（立夏）   B yíxiàr（一下儿）   C dǎ dǔnr（打盹儿）

16. A jiǎozi xiànr（饺子馅儿）   B jiǎozi pír（饺子皮儿）   C máopí（毛皮）

参考答案

一、听力

    1-4：× √ √ ×

    5-8：E D A B

    9-12：C B B C

二、阅读

    13-17：× √ × √ ×

    18-22：E A B D C

    23-26：E A C B

27-30：I F H G

三、语音

    1. liáng   2. hóng

    3. dǒng   4. nán

    5. sūn   6. huáng

    7. shǎng   8. cōng

    9-16：B C A C

             B B A C

第 6 课　我会说汉语

一、听力

第一部分

第 1-4 题：听词或短语，判断对错

1. 说汉语
2. 中国菜
3. 做中国菜
4. 汉语老师

第二部分

第 5-8 题：听对话，选择与对话内容一致的图片

5. 男：你们家谁会说汉语？
   女：我妈妈会说汉语。

6. 男：你会做中国菜吗？
   女：我不会做，我的好朋友会做。

7. 男：这个汉字怎么写？
   女：对不起，我会读，不会写。

8. 女：中国菜好吃吗？
   男：中国菜很好吃。

第三部分

第 9-12 题：听句子，回答问题

9. 我会做中国菜，中国菜很好吃。
   问：他 / 她会做什么菜？

10. 我的汉语名字是李朋，我会写我的汉语名字。
    问：他 / 她的汉语名字是什么？

11. 我的好朋友是中国人，他会说汉语。
　　问：他 / 她的好朋友会说什么？

12. 我妈妈不会写汉字，我会写汉字
　　问：谁会写汉字？

三、语音

第一部分

第 1-8 题：听录音，选择听到的双音节词语

1. jīngyàn（经验）　　2. yāoqǐng（邀请）　　3. xiūlǐ（修理）　　4. wēixiǎn（危险）

5. chūntiān（春天）　　6. xīnnián（新年）　　7. shāngrén（商人）　　8. cānguān（参观）

第二部分

第 9-16 题：听录音，给下列词语标注声调

9. shēnqǐng（申请）　　shēng bìng（生病）　　10. shēntǐ（身体）　　shēngrì（生日）

11. jiāoliú（交流）　　jiāoyóu（郊游）　　12. fēicháng（非常）　　fēijī（飞机）

13. chōu yān（抽烟）　　chōuti（抽屉）　　14. fēnzhōng（分钟）　　fāngbiàn（方便）

15. chāoshì（超市）　　ānjìng（安静）　　16. gāngcái（刚才）　　gānjìng（干净）

参考答案

一、听力
　　1-4：× × √ ×
　　5-8：E B A D
　　9-12：A C B A

二、阅读
　　13-17：√ × × √ √
　　18-22：E A B D C
　　23-26：E B A C
　　27-30：F G I H

三、语音
　　1. jīngyàn　　　　2. yāoqǐng

3. xiūlǐ　　　　　4. wēixiǎn

5. chūntiān　　　6. xīnnián

7. shāngrén　　　8. cānguān

9. shēnqǐng　　　shēng bìng

10. shēntǐ　　　　shēngrì

11. jiāoliú　　　　jiāoyóu

12. fēicháng　　　fēijī

13. chōu yān　　　chōuti

14. fēnzhōng　　　fāngbiàn

15. chāoshì　　　ānjìng

16. gāngcái　　　gānjìng

第 7 课　今天几号

一、听力

第一部分

第 1-4 题：听词或短语，判断对错

1. 学校
2. 8 月 5 号
3. 看书
4. 4 月 20 号

第二部分

第 5-8 题：听对话，选择与对话内容一致的图片

5. 男：今天是几月几号？
　 女：今天是 9 月 12 号。

6. 男：明天你做什么？
　 女：明天我去学校看书。

7. 男：31 号是星期几？
　 女：31 号是星期一。

8. 女：明天是星期六，你做什么？
　 男：明天我去中国朋友家吃中国菜。

第三部分

第 9-12 题：听句子，回答问题

9. 明天是 3 月 19 号，星期三。
　 问：明天星期几？

10. 昨天是 8 月 20 号。
　　 问：今天是几月几号？

11. 妈妈的生日是 1 月 22 号。

   问：妈妈的生日是几月几号？

12. 我朋友会做中国菜，明天我去他家吃中国菜。

   问：明天"我"做什么？

三、语音

第一部分

第1-8题：听录音，选择听到的双音节词语。

1. shítáng（食堂）   2. chángcháng（常常）   3. niánqīng（年轻）   4. míngnián（明年）

5. héshì（合适）   6. ménkǒu（门口）   7. érqiě（而且）   8. quánmiàn（全面）

第二部分

第9-16题：听录音，给下列词语标注声调

9. fáng mén（房门） fángjiān（房间）   10. píxié（皮鞋） píjiǔ（啤酒）

11. shíhou（时候） shíjiān（时间）   12. huí jiā（回家） huí guó（回国）

13. jié hūn（结婚） jiéshù（结束）   14. líkāi（离开） yí cì（一次）

15. qíngxù（情绪） chénggōng（成功）   16. juédìng（决定） liúlǎn（浏览）

参考答案

一、听力

   1–4：× √ × √

   5–8：E B A D

   9–12：C C A C

二、阅读

   13–17：√ × √ × ×

   18–22：B E A C D

   23–26：E A B C

   27–30：G H I,I F

三、语音

   1. shítáng   2. chángcháng

   3. niánqīng   4. míngnián

   5. héshì   6. ménkǒu

   7. érqiě   8. quánmiàn

   9. fáng mén   fángjiān

   10. píxié   píjiǔ

   11. shíhou   shíjiān

   12. huí jiā   huí guó

   13. jié hūn   jiéshù

   14. líkāi   yí cì

   15. qíngxù   chénggōng

   16. juédìng   liúlǎn

四、汉字

   1. A E G H

   2. B C D F

第 8 课　我想喝茶

一、听力

第一部分

第 1-4 题：听词或短语，判断对错

1. 茶
2. 一个杯子
3. 吃米饭
4. 三个人

第二部分

第 5-8 题：听对话，选择与对话内容一致的图片

5. 男：你想吃米饭吗？
　　女：我想吃。

6. 男：明天你想吃什么？
　　女：我想吃中国菜。

7. 男：请问，这个杯子多少钱？
　　女：38 块。

8. 女：你朋友家有几口人？
　　男：他家有四口人。

第三部分

第 9-12 题：听句子，回答问题

9. 明天他想去商店买一个杯子。
　　问：他想买什么？

10. 他想喝茶。你呢？
　　问：他想喝什么？

11. 大卫今天下午去中国朋友家喝茶。

    问：大卫今天下午去哪儿？

12. 这个菜 38 块，那个菜 49 块。

    问：那个菜多少钱？

三、语音

第一部分

第 1-8 题：听录音，选择听到的双音节词语

1. yǔyán（语言）　　2. guǎngbō（广播）　　3. shuǐpíng（水平）　　4. yǒumíng（有名）

5. dǎsǎo（打扫）　　6. xǐhào（喜好）　　7. kǎoshì（考试）　　8. yǔnxǔ（允许）

第二部分

第 9-16 题：听录音，给下列词语标注声调

9. xiǎoxīn（小心）　xiǎomíng（小名）　　　10. zǒngzhī（总之）　zhǔnshí（准时）

11. jǔxíng（举行）　lǚxíng（旅行）　　　12. xiǎoshí（小时）　shǒuzhǐ（手指）

13. xuǎnzé（选择）　xǐ zǎo（洗澡）　　　14. pǎo bù（跑步）　zǒngshì（总是）

15. yěxǔ（也许）　gǎnmào（感冒）　　　16. bǐjiào（比较）　bǐsài（比赛）

参考答案

一、听力

　　1-4：√　×　×　√

　　5-8：D　A　B　E

　　9-12：C　A　C　C

二、阅读

　　13-17：×　√　×　√　×

　　18-22：C　A　B　D　E

　　23-26：A　B　E　C

　　27-30：F　G　G　F/G

三、语音

　　1. yǔyán　　2. guǎngbō

　　3. shuǐpíng　4. yǒumíng

　　5. dǎsǎo　　6. xǐhào

　　7. kǎoshì　　8. yǔnxǔ

　　9. xiǎoxīn　　xiǎomíng

　　10. zǒngzhī　zhǔnshí

　　11. jǔxíng　　lǚxíng

　　12. xiǎoshí　shǒuzhǐ

　　13. xuǎnzé　xǐ zǎo

　　14. pǎo bù　zǒngshì

　　15. yěxǔ　　gǎnmào

　　16. bǐjiào　　bǐsài

四、汉字

　　1. C　D　G　H

　　2. A　B　E　F

第 9 课　你儿子在哪儿工作

一、听力

第一部分

第 1-4 题：听词或短语，判断对错

1. 医院
2. 医生
3. 椅子
4. 小猫

第二部分

第 5-8 题：听对话，选择与对话内容一致的图片

5. 男：我的猫呢？
   女：在椅子下面。

6. 男：你妈妈是医生吗？
   女：不是，我妈妈是老师，她在学校工作。

7. 男：我的狗在哪儿？
   女：在椅子上面。

8. 女：你朋友在哪儿工作？
   男：她是医生，在医院工作。

第三部分

第 9-12 题：听句子，回答问题

9. 这是我的小猫，在椅子下面。
   问：他 / 她的猫在哪儿？

10. 他儿子叫李朋，在商店工作。
    问：他儿子在哪儿工作？

11. 他爸爸是医生，妈妈不工作。

　　问：他妈妈在哪儿工作？

12. 她儿子在中国，她女儿在美国。

　　问：她女儿在哪儿？

三、语音

第一部分

第1-8题：听录音，选择听到的双音节词语

1. bàntiān（半天）　　2. lùyīn（录音）　　3. hùxiāng（互相）　　4. dànshì（但是）

5. jiànkāng（健康）　　6. huàmiàn（画面）　　7. zìjǐ（自己）　　　　8. yùdào（遇到）

第二部分

第9-16题：听录音，给下列词语标注声调

9. zàijiàn（再见）　zàixiàn（在线）　　10. bàn diǎn（半点）　bàn nián（半年）

11. diànyǐng（电影）　diànshì（电视）　　12. yùndòng（运动）　yùnxíng（运行）

13. huòzhě（或者）　huǒchē（火车）　　14. shuì jiào（睡觉）　shìjiè（世界）

15. jìjié（季节）　dìtiě（地铁）　　16. bànfǎ（办法）　biànhuà（变化）

参考答案

一、听力

　　1-4：× √ √ ×

　　5-8：E A B D

　　9-12：C A C B

二、阅读

　　13-17：× × √ √ ×

　　18-22：A C E D B

　　23-26：E B A C

　　27-30：F I G H

三、语音

　　1. bàntiān　　2. lùyīn

　　3. hùxiāng　　4. dànshì

　　5. jiànkāng　　6. huàmiàn

　　7. zìjǐ　　　　8. yùdào

　　9. zàijiàn　　zàixiàn

　　10. bàn diǎn　bàn nián

　　11. diànyǐng　diànshì

　　12. yùndòng　yùnxíng

　　13. huòzhě　huǒchē

　　14. shuì jiào　shìjiè

　　15. jìjié　　dìtiě

　　16. bànfǎ　　biànhuà

四、汉字

　　1. B D E H

　　2. A C F G

第 10 课　我能坐这儿吗

一、听力

第一部分

第 1-4 题：听词或短语，判断对错

1. 坐
2. 桌子
3. 爸爸和女儿
4. 请喝茶

第二部分

第 5-8 题：听对话，选择与对话内容一致的图片

5. 男：你的桌子上有什么？
　 女：我的桌子上有一个电脑。

6. 男：你女儿呢？
　 女：在那儿，她在桌子下面。

7. 男：谁是大卫？
　 女：我后面的那个人是大卫。

8. 女：李老师家在后面吗？
　 男：不是，李老师家在前面。

第三部分

第 9-12 题：听句子，回答问题

9. 桌子上有一个杯子和一本书。
　 问：桌子上有什么？

10. 我能看看你的书吗？
　　问：他 / 她想做什么？

11. 前面那个人是谢朋的同学，他在学校工作。

问：前面的人是谁？

12. 我的小狗在那儿，桌子下面。

问：桌子下面有什么？

三、语音

第一部分

第1-8题：听录音，从听到的三个词语中选出不是双音节叠音词的一个

1. A xīngxing（星星）   B háizi（孩子）   C nǎinai（奶奶）
2. A jiějie（姐姐）   B mèimei（妹妹）   C zǎoshang（早上）
3. A péngyou（朋友）   B kànkan（看看）   C wènwen（问问）
4. A lǎolao（姥姥）   B gēge（哥哥）   C késou（咳嗽）
5. A māma（妈妈）   B dìdi（弟弟）   C qīngchu（清楚）
6. A bàba（爸爸）   B tóufa（头发）   C gūgu（姑姑）
7. A xiǎngxiang（想想）   B xièxie（谢谢）   C kèqi（客气）
8. A rènshi（认识）   B shūshu（叔叔）   C xiěxie（写写）

第二部分

第9-16题：听录音，给下列词语标注声调

9. zhuōzi（桌子） yǐzi（椅子）   10. bāozi（包子） jiǎozi（饺子）
11. háizi（孩子） sǎngzi（嗓子）   12. shítou（石头） shétou（舌头）
13. lǐtou（里头） wàitou（外头）   14. zánmen（咱们） rénmen（人们）
15. wǒmen（我们） tāmen（他们）   16. bēizi（杯子） yàngzi（样子）

参考答案

一、听力
1–4：√ √ × √
5–8：E A D B
9–12：C A C B

二、阅读
13–17：√ × √ × √
18–22：B A C D E
23–26：E B C A
27–30：I H F G

三、语音
1–8：B C A C C B C A
9. zhuōzi yǐzi   10. bāozi jiǎozi
11. háizi sǎngzi   12. shítou shétou
13. lǐtou wàitou   14. zánmen rénmen
15. wǒmen tāmen   16. bēizi yàngzi

四、汉字
1. B C G H
2. A D E F

第 11 课　现在几点

一、听力

第一部分

第 1-5 题：听词或短语，判断对错

1. 吃饭
2. 看电影
3. 九点
4. 看书
5. 北京

第二部分

第 6-10 题：听对话，选择与对话内容一致的图片

6. 男：现在几点？
　女：现在五点。

7. 男：你什么时候见李老师？
　女：我下午一点十分去学校见李老师。

8. 男：我想看电影。
　女：好啊，下午我有时间，我们一起去。

9. 女：你星期六工作吗？
　男：不工作。

10. 女：你什么时候去北京？
　　男：9 月 17 号去，住三天。

第三部分

第 11-15 题：听句子，回答问题

11. 我十点去工作，现在在家。
　　问：他 / 她几点工作？

12. 现在八点，我们九点前去看电影。

问：他们几点去看电影？

13. 我中午十二点看书。

问：他/她十二点做什么？

14. 我下午喝茶，中午十二点前不喝茶。

问：他/她什么时候喝茶？

15. 他在北京住三天，星期五回家。

问：他什么时候回家？

三、语音

第一部分

第1-5题：听录音，选择听到的音节

1. gūgu（姑姑） 2. Tiān Shān（天山） 3. kànkan（看看） 4. tā de（他的） 5. nǐmen（你们）

参考答案

一、听力

　　1–5：× √ × × ×

　　6–10：D E A F B

　　11–15：B A B C B

二、阅读

　　16–20：√ × √ × ×

　　21–25：A D C B E

26–30：F C A B E

三、语音

　　1–5：B B C A A

四、汉字

　　1. A F G H

　　2. B C D E

第 12 课　明天天气怎么样

一、听力

第一部分

第 1-5 题：听词或短语，判断对错

1. 水果
2. 下雨
3. 水
4. 热
5. 身体

第二部分

第 6-10 题：听对话，选择与对话内容一致的图片

6. 男：今天天气不好，会下雨吗？
　 女：下午会下雨。

7. 女：今天天气太热了。
　 女：是啊，你多喝水。

8. 男：明天天气很好，你去学校吗？
　 男：不去，明天我去医院。

9. 女：你身体怎么样？
　 女：不太好，不爱吃饭。

10. 女：大卫今天会来吗？
　　 男：他身体不好，不会来。

第三部分

第 11-15 题：听句子，回答问题

11. 星期五天气很好，星期六会下雨。
　　问：星期五天气怎么样？

12. 今天太冷了，我不想去了。

   问：今天天气怎么样？

13. 明天上午不会下雨，下午会下雨。

   问：明天什么时候会下雨？

14. 王小姐八点前会来。

   问：王小姐什么时候会来？

15. 我爸爸这个星期身体不太好。

   问：他／她爸爸这个星期身体怎么样？

三、语音

第一部分

第1-5题：听录音，从听到的三个词语中选出声调模式不同的一个

1. A xīngqīwǔ（星期五）   B xīngqī jǐ（星期几）   C Xībānyá（西班牙）
2. A yīxuéjiā（医学家）   B Bālí rén（巴黎人）   C zhuōmícáng（捉迷藏）
3. A bālěiwǔ（芭蕾舞）   B jiāoxiǎngyuè（交响乐）   C shūfǎ kè（书法课）
4. A yīnyuèjiā（音乐家）   B yīnyuè kè（音乐课）   C hāmìguā（哈密瓜）
5. A chī xīguā（吃西瓜）   B hē píjiǔ（喝啤酒）   C hē niúnǎi（喝牛奶）

第二部分

第6-10题：听录音，画出句中你听到的三音节词语

6. Wǒ měi tiān xià wǔ shàng shū fǎ kè.（我每天下午上书法课。）

7. Mā ma xià ge yuè qù Jiā ná dà.（妈妈下个月去加拿大。）

8. Jīn tiān shì xīng qī wǔ, míng tiān shì zhōu mò.（今天是星期五，明天是周末。）

9. Wǒ zuì xǐ huan tiào bā lěi wǔ.（我最喜欢跳芭蕾舞。）

10. Tā méi qù guo Xī bān yá.（他没去过西班牙。）

参考答案

一、听力

     1–5：× × × × √

     6–10：E B F D A

     11–15：A B C B B

二、阅读

     16–20：√ √ √ × √

     21–25：A E C D B

     26–30：F B A C E

三、语音

     1–5：C A A B A

     6. shūfǎkè   7. Jiānádà

     8. xīngqīwǔ   9. bālěiwǔ

     10. Xībānyá

四、汉字

     1. A D E F

     2. B C G H

第 13 课   他在学做中国菜呢

一、听力

第一部分

第 1-5 题：听词或短语，判断对错

1. 睡觉
2. 吃饭
3. 看电视
4. 工作
5. 下雨

第二部分

第 6-10 题：听对话，选择与对话内容一致的图片

6. 男：你昨天上午九点在做什么呢？
   女：我在睡觉呢。

7. 男：小猫在哪儿？
   女：小猫在椅子上面。

8. 男：你喜欢做饭吗？
   女：很喜欢。我在学习做中国菜。

9. 女：你在做什么呢？
   男：我和朋友在家看电视呢。

10. 女：喂，小明在吗？
    男：他在打电话呢，你是谁？

第三部分

第 11-15 题：听句子，回答问题

11. 下午我和朋友在家里喝茶。
    问："我"和朋友在哪儿喝茶？

12. 今天天气不好，我们在家吃饭吧。

问：今天天气怎么样？

13. 88302755 是张老师的电话。

问：张老师的电话是多少？

14. 我没看电视，我在学习呢。

问：他 / 她在做什么呢？

15. 她没在打电话，她在睡觉呢。

问：她在做什么呢？

三、语音

第一部分

第1-5题：听录音，从听到的三个词语中选出声调模式不同的一个

1. A mótuōchē（摩托车）　　　B yánjiūshēng（研究生）　　　C yánjiūsuǒ（研究所）

2. A fúwùshēng（服务生）　　　B Guóqìng Jié（国庆节）　　　C fúwùyuán（服务员）

3. A bújiàndé（不见得）　　　　B bú nàifán（不耐烦）　　　　C búyàojǐn（不要紧）

4. A liánxùjù（连续剧）　　　　B Hánguó rén（韩国人）　　　 C míngxìnpiàn（明信片）

5. A lái xuéxiào（来学校）　　　B bái yánsè（白颜色）　　　　C lánqiúchǎng（篮球场）

第二部分

第6-10题：听录音，画出句中你听到的三音节词语

6. Wǒ měi tiān xià wǔ zài tú shū guǎn xué xí.（我每天下午在图书馆学习。）

7. Mā ma zuó tiān mǎi le yì tiáo niú zǎi kù.（妈妈昨天买了一条牛仔裤。）

8. Nǐ hǎo, wǒ xiǎng huàn rén mín bì.（你好，我想换人民币。）

9. Fú wù yuán, wǒ yào liǎng bēi kā fēi.（服务员，我要两杯咖啡。）

10. Tā hé gē ge dōu xǐ huan cān guān bó wù guǎn.（他和哥哥都喜欢参观博物馆。）

参考答案

一、听力

　　1–5：√ × × √ ×

　　6–10：B A D F E

　　11–15：B C C C B

二、阅读

　　16–20：× √ √ × √

　　21–25：D B E A C

　　26–30：A C B F E

　　31–35：I J G H K

三、语音

　　1–5：C A C B C

　　6. túshūguǎn　　7. niúzǎikù

　　8. rénmínbì　　9. fúwùyuán

　　10. bówùguǎn

四、汉字

　　1. B D E F

　　2. A C G H

第 14 课　她买了不少衣服

一、听力

第一部分

第 1-5 题：听词或短语，判断对错

1. 开车
2. 喝茶
3. 买衣服
4. 书店
5. 苹果

第二部分

第 6-10 题：听对话，选择与对话内容一致的图片

6. 男：昨天上午你去哪儿了？
　　女：我去学校学汉语了。

7. 男：你去商店买苹果了吗？
　　女：没有，我买了不少菜。

8. 男：你看见张先生了吗？
　　女：看见了，他开车去医院了。

9. 女：这些是谁的衣服？
　　男：丽丽的，她昨天买了不少衣服。

10. 女：喂，请问，王小姐回来了吗？
　　　男：没有，她一个小时后回来。

第三部分

第 11-15 题：听句子，回答问题

11. 我上午买了不少菜，中午做饭。
　　问：他 / 她上午做什么了？

12. 这些衣服很漂亮，都是张小姐的。

问：这些衣服都是谁的？

13. 王老师去学校了，她三点后能回来。

问：王老师什么时候能回来？

14. 下午我和大卫去学开车了。

问：下午大卫做什么了？

15. 我不爱喝水，不爱吃水果。

问：他／她不爱吃什么？

三、语音

第一部分

第1-5题：听录音，从听到的三个词语中选出声调模式不同的一个

1. A lǎoniánrén（老年人）　　B mǎi huángguā（买黄瓜）　　C shǐxuéjiā（史学家）
2. A biǎoyǎnjiā（表演家）　　B lǎonián bìng（老年病）　　C xǐ báicài（洗白菜）
3. A mǎi qiānbǐ（买铅笔）　　B xiǎoshuōjiā（小说家）　　C zǒngjīnglǐ（总经理）
4. A dǎ tàijí（打太极）　　B hǎo wèntí（好问题）　　C lǎonián zǔ（老年组）
5. A hǎo péngyou（好朋友）　　B zhǎo yínháng（找银行）　　C dǎ chángtú（打长途）

第二部分

第6-10题：听录音，画出句中你听到的三音节词语

6. Mā ma yòng xǐ yī jī xǐ yī fu.（妈妈用洗衣机洗衣服。）
7. Jīn tiān Bēi jīng de tiān qì zěn me yàng?（今天北京的天气怎么样？）
8. Xué xiào li yǒu yì jiā shuǐ guǒ diàn.（学校里有一家水果店。）
9. Xiǎo Zhāng qù shāng diàn mǎidōngxi le.（小张去商店买东西了。）
10. Tā men qù huǒ chē zhàn mǎi piào le.（他们去火车站买票了。）

参考答案

一、听力
1–5：× √ × √ √
6–10：E A B D F
11–15：A B B B A

二、阅读
16–20：× √ √ × √
21–25：A B E D C
26–30：B E F C A

三、语音
1–5：A A B C A
6. xǐyījī　　7. zěnmeyàng
8. shuǐguǒdiàn　　9. mǎidōngxi
10. huǒchēzhàn

四、汉字
1. A C E F
2. B D G H

第15课　我是坐飞机来的

一、听力

第一部分

第1-5题：听词或短语，判断对错

1. 电话
2. 出租车
3. 听
4. 饭店
5. 大学

第二部分

第6-10题：听对话，选择与对话内容一致的图片

6. 男：你是什么时候来中国的？
   女：我是 2011 年来的，已经两年了。

7. 男：这些苹果是在哪儿买的？
   女：在前面的商店买的。

8. 男：你爸爸是怎么去商店的？
   女：我们一起开车去的。

9. 女：李老师睡觉了吗？
   男：睡了，他是五点睡的。

10. 女：我们怎么去？
    男：小王是坐出租车去的，我们也坐出租车吧。

第三部分

第11-15题：听句子，回答问题

11. 我们是 2008 年在北京认识的。
    问：他们是什么时候认识的？

12. 我的衣服都是在中国买的，我喜欢中国的衣服。

    问：他 / 她喜欢哪儿的衣服？

13. 王老师不是坐出租车去的。

    问：王老师是怎么去的？

14. 李老师是八点去学校的，九点前会到。

    问：李老师是什么时候去学校的？

15. 张先生是坐飞机来的。

    问：张先生是怎么来的？

三、语音

第一部分

第1-5题：听录音，从听到的三个词语中选出声调模式不同的一个

1. A tàiyángxì（太阳系）   B jìshíqì（计时器）   C bú kèqi（不客气）
2. A rèqìqiú（热气球）   B jiànshēnfáng（健身房）   C Màidāngláo（麦当劳）
3. A jìsuànjī（计算机）   B diànhuàkǎ（电话卡）   C diànhuàjī（电话机）
4. A Tàiháng Shān（太行山）   B kàn zúqiú（看足球）   C chàng guógē（唱国歌）
5. A tàijíquán（太极拳）   B Shàolín Sì（少林寺）   C zuò yóuxì（做游戏）

第二部分

第6-10题：听录音，画出句中你听到的三音节词语

6. Jiè wǒ nǐ de lù yīn bǐ yòng yong.（借我你的录音笔用用。）
7. Míng tiān xià wǔ wǒ men yì qǐ qù diàn yǐng yuàn ba.（明天下午我们一起去电影院吧。）
8. Nǐ shì shén me shí hou qù jiàn shēn fáng de?（你是什么时候去健身房的？）
9. Wǒ zài xué dǎ tài jí quán ne.（我在学打太极拳呢。）
10. Wǒ yào mǎi yì zhāng diàn huà kǎ.（我要买一张电话卡。）

参考答案

一、听力

    1–5：√ × √ × ×

    6–10：D A E F B

    11–15：B B C A C

二、阅读

    16–20：× × √ × √

    21–25：A C E B D

    26–30：F A B C E

三、语音

    1–5：C A B B A

    6. lùyīnbǐ   7. diànyǐngyuàn

    8. jiànshēnfáng   9. tàijíquán

    10. diànhuàkǎ

四、汉字

    1. B E G H

    2. A C D F

HSK（一级）模拟试卷

（音乐，30秒，渐弱）

大家好！欢迎参加 HSK（一级）考试。
大家好！欢迎参加 HSK（一级）考试。
大家好！欢迎参加 HSK（一级）考试。

HSK（一级）听力考试分四部分，共20题。
请大家注意，听力考试现在开始。

第一部分

一共5个题，每题听两次。

例如：很高兴
　　　看电影

现在开始第1题：
1. 说话
2. 吃饭
3. 学习汉语
4. 椅子下面
5. 太热了

第二部分

一共5个题，每题听两次。

例如：这是我的书。

现在开始第6题：
6. 我们一共三个人。
7. 她在做菜呢。
8. 昨天五月十八号。
9. 茶杯在桌子上。
10. 我是坐飞机来北京的。

第三部分

一共 5 个题，每题听两次。

例如：女：你好！
男：你好！很高兴认识你！

现在开始第 11 题：

11. 女：你女儿在哪儿工作？
男：她在医院工作，她是大夫。

12. 女：你会做中国菜吗？
男：我不会，我妈妈会做。

13. 男：你在北京住哪儿？
女：北京饭店。

14. 女：大卫去哪儿了？
男：他去学车了。

15. 女：老师，谢谢您，再见！
男：再见！

第四部分

一共 5 个题，每题听两次。

例如：下午我去商店，我想买一些水果。
问：他 / 她下午去哪里？

现在开始第 16 题：

16. 张先生是打车去饭店的。
问：张先生是怎么去饭店的？

17. 大卫没看电视，他在电影院看电影呢。
问：大卫现在做什么呢？

18. 今天星期五，王老师星期日去北京。
问：王老师什么时候去北京？

19. 谢小姐昨天买了两本汉语书。
问：谢小姐昨天去哪儿了？

20. 他们学校有 27 个汉语老师。
问：他们学校有多少汉语老师？

听力考试现在结束。

参考答案

一、听力

　　1-5： ×　×　√　×　√

　　6-10： C　A　B　C　B

　　11-15： D　B　A　F　E

　　16-20： C　B　C　A　C

二、阅读

　　21-25： ×　×　√　×　√

　　26-30： A　F　D　C　B

　　31-35： B　A　C　D　E

　　36-40： E　A　C　B　F